edition suhrkamp

Redaktion: Günther Busch

Robert Minder, geboren am 23. August 1902 in Wasselonne im Elsaß, ist Professor der Germanistik am Collège de France in Paris. Wichtige Publikationen: *Tieck, un poète romantique allemand* 1936; *Die religiöse Entwicklung von K. Ph. Moritz* 1936; *Allemagne et les Allemands* 1947; *Kultur und Literatur in Deutschland und Frankreich* 1962; *Dichter in der Gesellschaft* 1966.

Mit Robert Minder kommt in der *edition suhrkamp* einer der großen Repräsentanten der ausländischen, der französischen Germanistik zu Wort, der von den verschiedensten Seiten her, in Dichterporträts, in Form von Textinterpretationen und Vergleichen, die deutsche Literatur und einige ihrer hervorragenden Autoren beleuchtet. Die Aufsätze, die dieser Band vereinigt, sind Beispiele dafür, wie wenig sich wissenschaftliche Untersuchung und künstlerischer Essay gegenseitig ausschließen müssen.

Robert Minder
›Hölderlin unter den Deutschen‹
und andere Aufsätze
zur deutschen Literatur

Suhrkamp Verlag

edition suhrkamp 275
2. Auflage, 11.–16. Tausend 1970
© Insel Verlag Frankfurt am Main 1966. Printed in Germany. Alle Rechte
vorbehalten, insbesondere das der Übersetzung, des öffentlichen Vortrags
und des Rundfunkvortrags, auch einzelner Abschnitte. Satz, in Linotype
Garamond, Druck und Bindung bei Georg Wagner, Nördlingen. Gesamt-
ausstattung Willy Fleckhaus.

Inhalt

Jean Paul oder die Verlassenheit des Genius

Jean Paul steht seit langem nur als fernes Wetterleuchten am Rande des deutschen Bewußtseins.

Leicht hat er es dem Leser nie gemacht. Lianen, mannshohe Schlingpflanzen, tropische Wucherung – es verschlägt den Atem. Feinhörigere lassen sich hinreißen auf die wildverwachsenen Pfade. Mit einem Schlag eine andere Landschaft. Erstarrt, versteinert. Der Dichter der strömenden Fülle ist auch ein grandioser Gestalter des Grauens der Vernichtung. Gethsemane als Folie all seiner Werke, Golgatha hinter Blumenbühl.

Dazwischen aber immer wieder öde Strecken von Schottergeröll, der Fuß strauchelt, der Autor selber scheint zu taumeln und zu schwanken, versteift sich mit gußeiserner Pedanterie auf den Sand- und Dornenweg der herbeigeschleppten Exzerpte, Kommentare zu Kommentaren, Metaphernkolonien, die unlösbare Kreuzworträtsel auslaichen – bis der Bann plötzlich gebrochen ist und die Kantilene wieder frei dahinströmt: »Die Alpen standen wie verbrüderte Riesen der Vorwelt fern in der Vergangenheit und hielten hoch der Sonne die glänzenden Schilde der Eisberge entgegen – die Riesen trugen blaue Gürtel aus Wäldern – und zu ihren Füßen lagen Hügel und Weinberge – und zwischen den Gewölben aus Reben spielten die Morgenwinde mit Kaskaden wie mit wassertaftenen Bändern – und an den Bändern hing der überfüllte Wasserspiegel des Sees von den Bergen nieder, und sie flatterten in den Spiegel, und ein Laubwerk aus Kastanienwäldern faßte ihn ein ... Albano drehte sich langsam im Kreise um und blickte in die Höhe, in die Tiefe, in die Sonne, in die Blüten; und auf allen Höhen brannten Lärmfeuer der gewaltigen Natur und in allen Tiefen ihr Widerschein – ein schöpferisches Erdbeben schlug wie ein Herz unter der Erde und trieb Gebirge und Meere hervor.«[1]

Die Linienführung ist hier ganz anders – kraus, üppig, barock – als in Hölderlins großlinigen Gestaltungen südlicher Natur: beide Male sprechen dichterische Genien und verleihen der deutschen Südsehnsucht den großen Atem.

Die moderne Strukturanalyse – von Kommerell bis Höllerer und Rasch – hat viel verschüttete Zugänge zur musikalischen Prosa Jean Pauls freigelegt, der nicht ohne Grund ein genialer Improvisator auf dem Klavier gewesen ist. Und mit Recht verweist der urbanste Kenner des 18. Jahrhunderts, Richard Benz, darauf, daß das Publikum der ›Zauberflöte‹ und der neuen großen Tongemälde von Mozart, Haydn, Beethoven auch die hingerissene Leserschaft der Romane von Jean Paul gebildet hat. Seine raffinierte Technik der Zeitverschiebung und ihrer Verfremdungseffekte führt andererseits weit über Sternes ›Tristram Shandy‹ und Diderots ›Neveu de Rameau‹ hinaus, nimmt die vertrackten Gedankenspiele eines Jean Giraudoux, eines Thomas Mann ebensogut voraus wie die brutwarme Schichtengliederung der großen Romane von Proust und Faulkner.

Kommt dennoch der Augenblick – und er kommt unfehlbar –, wo Jean Pauls Manierismus, der offenkundig pathologische Zwangscharakter gewisser Stileigenheiten auch den Gutwilligsten abschreckt, so halte er sich ans Geheimrezept aller Literaturwissenschaft (wie sonst denn fräße sich unsereiner je durch den Bücherhirsebrei hindurch?) – das Darüberhinweglesenkönnen, nobler gesagt: die Geschwindigkeitsregelung. So rasch als möglich den Teufelskreis der wildgeworde-

1 Jean Paul: *Titan,* Ausgew. Werke. Reimer, 1856, Bd IX, S. 16. – Strukturanalysen bei M. Kommerell: *Jean Paul,* 1932. – W. Rasch: *Die Erzählweise Jean Pauls,* 1961. – W. Höllerer: *Nachworte* zur Jean Paul-Ausgabe von N. Miller, 6 Bde., 1959 sq. – Richard Benz über Jean Paul: ›Die Zeit d. dt. Klassik‹, 1953. – Hans Mayer: *J. Pauls Nachruhm (zur dt. Klassik u. Romantik,* 1963).

nen Lesefrüchte hinter sich bringen, bis der Satellit die Bahn gefunden hat und Luft von anderem Planeten weht. Dann aber ganz langsam diese hohe Prosa durchbuchstabieren, auskosten, einschlürfen – eine ähnlich substanzspeichernde und zugleich phantasiedurchquollene gibt es in dieser Form sonst nicht. Herder und Hegel, E. T. A. Hoffmann, Börne und Heine, Hebbel, Keller, Raabe und Stifter wußten es, Schumann und Brahms, Pfitzner und Gustav Mahler nicht zu vergessen.

Görres hatte schon 1811 geschrieben: »Wie in Breughels Paradies hat Jean Paul im Garten seiner Kunst alle Tiere des Feldes und die Vögel des Himmels und Bäume und Kraut, von der Zeder bis zum Ysop gesammelt, und er nennt alles mit Namen, und ordnet alles, und legt jedes an seinem Ort zurecht ... In des Malers Hölle läßt er uns dann hinunterblicken ... dann wieder schließt uns sein Humor etwa die aufgeräumte Offizin des Pharmaceuten auf, in hellen hohen Haufen liegen dort Mörser, Retorten, Gläser, Töpfe, Phiolen, Spatel, Öfen, Trichter, Mönch und Nonne, Kolben, Stößer, Kräuter und Pastillen, Schalen, Kannen, Stöpsel, ausgestopfte Schlangen, Drachen und Basilisken sterbend darüber ausgestreckt, aus den Haufen hervor Eidechsen mit klugem Auge blickend. Und er schlägt mit dem Stabe auf die Erde, und aus der Wand springt eine Gesellschaft Zigeuner hervor, und die schlagen ihre Zelte mitten in der Zerstörung auf, und braten die Basilisken im aufgefundenen Dachsfett, und kochen Kräutersuppen, und berauschen sich im Spiritus der Präparate, und schlagen im Rausche alles Gerät in Stücke, auch die Flasche mit dem kostbaren Alkahest, des Meisters alchymischem Arcanum, und es fließt der Julep umher, und löst die Scherbenberge, Tisch und Stuhl samt den Zigeunern und allem auf in eine klare Solution, und in dieser fällt bald ein goldener Schnee zu Boden, und es steigt aus der Golderde glänzend ein Dianenbaum herauf, der, nachdem alles Aufgelöste weggesogen, durch die Decke wächst, und außen die

Universalarznei in vergoldeten Pillen trägt. Dergleichen hat nicht Homer gedichtet, und Odysseus hat es auf seinen Irrfahrten nicht gefunden . . .«[2]

Die Klassiker hielten Distanz. Goethe schwankte zwischen Bewunderung und Unmut über »das leise Klirren der Kette«, die Jean Paul nie los werde. Schärfer noch verwarf Schiller den »chinesischen Wust«. Die Gesetzestafeln der neuen formstrengen Klassik wurden Jean Paul entgegengehalten, als er 1796 in Weimar eintraf. Nach einer unglaublich harten, verdüsterten Jugend im Fichtelgebirge, wo Fuchs und Hase sich gute Nacht sagen und wo heute der Osten vom Westen sich scheidet, hatte der Dreißigjährige den Durchbruch zur Dichtung und den Weg zum Publikum gefunden – ein Liebling der Frauen, heiß umworben von Charlotte von Kalb, die einst Schiller gesellschaftsfähig gemacht und Hölderlin in ihr Haus genommen hatte und die nun wiederum die eiserne Stunde erleben mußte, wo auch Jean Paul von ihr schied.

›Alliebe‹ war eine Lebensnotwendigkeit für diesen ewig schwärmenden Platoniker wie für seine Helden, von einem femininen Fluidum ist sein ganzes Werk durchtränkt, vom mütterlichen Magma getragen. So tief aber war die narzißtische Verstrickung (›geistiges Selberstillen‹ nennt es Jean Paul – ein Wink für Freudianer), daß er, der aus der Ferne anbetete, die Nähe floh, statt der ›hohen Seelen‹ eine sanfte, kindergebärende Ehefrau nahm, sich mit ihr für die letzten zwanzig Jahre bis zum Tod 1825 ins weltverlorene Bayreuth zurückzog und dabei abgesondert von der Familie sein ureigenstes Privatwinkelnest in einem Gasthaus vor den Toren der Stadt, der Rollwenzelei, aufbaute. Dort hat der allmählich vom Bier aufgeschwemmte Mann mit dem immer noch unvergeßlich strahlenden Auge unter der Obhut einer mütterlich derben Wirtin Tag um Tag geträumt, getrunken, geschrieben – ein Kind und Kauz, Bindfadensammler, Mückenseiher, Schachtelfanatiker – und zwischendurch ein Riese, der

2 J. Goerres: *Ges. Schriften*, hg. L. Just, 1955, IV, S. 51–78.

aufsteht, Tisch umwirft, Welt entlarvt, Abgrund ausmißt, felsig, furchtlos, durchdringend auf den Kern der Dinge – bis die Schnörkel wieder aufranken, Zitate ins Kraut schießen, und die Kette leise klirrt.

Sein ›Titan‹, 1803: genialste Abrechnung mit der antikisierenden Klassik Goethes und Schillers so gut wie mit dem romantischen Ichprinzip der Schlegel und Fichtes. Darüber hinaus: Abrechnung mit sich selbst und dem Künstler schlechthin, dem Schauspieler des eigenen Lebens und Vampir fremder Seelen, dämonisch in seiner auswuchernden Innerlichkeit. Wäre dieser tiefe, deutsche Roman nicht auch einer der allerunbekanntesten, so hätte seine thematische und formale Parallele zum ›Doktor Faustus‹ von Anfang an überraschen müssen. Inwieweit Thomas Mann sich der Beziehung bewußt gewesen ist, sei dahingestellt. Hat doch selbst Alfred Döblin, der mit seinen Sprüngen, Rissen und der visionären Sprachgewalt Jean Paul ungleich viel wesensnäher steht, den deutschen Ahnherrn erst mit 77 Jahren in Paris entdeckt. Noch in seine Freiburger Klinik mußte ich ihm Jean-Paul-Bände und die »Hesperus«-Hefte der Bayreuther Jean-Paul-Gesellschaft nachsenden – so stark war die Faszination, so tief auch der Jammer über die Verlassenheit eines solchen Genius.

Nicht einmal andeutungsweise kann hier von seinen großen Romanen die Rede sein: ›Die unsichtbare Loge‹, ›Hesperus‹, ›Titan‹, ›Die Flegeljahre‹, ›Armenadvokat Siebenkäs‹ und der von Flaubertscher Desillusion erfüllte, unvollendete ›Komet‹. Nicht von seinen philosophischen, religiösen, politischsozialen Schriften oder gar von der ›Vorschule der Ästhetik‹, einer gedankendurchblitzten, traumträchtigen, ungenutzten Honigwabe, und der Erziehungslehre ›Levana‹, wo die Goldkörner haufenweise zu Tage liegen. Nicht von seinen Satiren: ›Rektor Fälbel‹, ›Feldprediger Schmelzle‹, ›Doktor Katzenberger‹ – und kaum von seinen Idyllen, von denen ›Schulmeisterlein Wuz‹, 1790, die berühmteste und ›Das Leben Fibels‹, 1812, die tiefsinnigste ist.

Was Jean Pauls ›Idyllen‹ weit über das Winkelglück Spitz-
wegs und Ludwig Richters hinaushebt, ihnen die tiefen Schatten von Rembrandts Radierungen verleiht, in den Flötenton
Geßners die Donner Klopstocks rollen läßt, ist die Todes-
probe, die alle Helden Jean Pauls – Kinder sogar, kaum der
Schulbank entronnen – bestehen müssen. »Wie war Dein
Leben und Sterben so sanft und meerstille, du vergnügtes
Schulmeisterlein Wuz!«[3] Souverän nimmt schon der erste Satz
den Tod in die Idylle mit hinein, und ›meerstille‹ weitet genial mit sanftem Leuchten die krause Krümelwelt ins Ozea-
nische. Das Universum, wie Wuz es sich aus Traum und Buch
lustvoll selbstherrlich aufgebaut hat, entpuppt sich zuletzt
als beklemmend unwirkliches Vexierspiel. So hat in der Erzählung Kafkas ein Tier sein raffiniert ausgeklügeltes Ver-
steck im Innern der Erde angelegt – und plötzlich klopft es
an der Wand: der Feind sitzt dahinter, mitten im Bau. Mit
Kinderkalender und pietätvoll bewahrtem Spielzeug tritt der
Schulmeister gefaßt die pharaonische Todesfahrt an. »Der
gelbe Vollmond hing tief und groß im Süden und bereifte mit
seinem Totenlichte die Maiblümchen des Mannes und die stok-
kende Wanduhr und die grüne Haube des Kindes. Der leise
Kirschbaum vor dem Fenster malte auf dem Grund von
Mondlicht aus Schatten einen bebenden Baumschlag in die
Stube. Am stillen Himmel wurde zuweilen eine flackernde
Sternschnuppe niedergeworfen, und sie verging wie ein
Mensch.«[4] Im ›Leben Fibels‹ rauschte noch einmal der Wald
Dürers und Faustens, wächst in parzivalischer Unschuld der
Sohn eines verstorbenen Vogelstellers bei der Mutter auf, in
seiner Welteinsamkeit ganz der Magie des Wortes verfallen
und zuletzt durch das Wort berühmt als Verfasser einer
Musterfibel, mit der er sich völlig identifiziert, Fibel heißt,
Fibel wird – bis der uralte Mann alles von sich abtut, träu-

3 *Leben des vergnügten Schulmeisterlein Maria Wuz in Auenthal. Eine
Art Idylle,* in Ausg. Werke, s. o., Bd. II, S. 204.
4 ibid., S.243.

mend dem Tod entgegenschweigt: Thematik von Hofmannsthals ›Lord Chandos‹, dabei innig-stark über Abgründe hin-
musiziert wie Bachsche Kantaten.

Das Werkchen ist 1862 französisch erschienen – im selben
Jahr wie die ›Vorschule der Ästhetik‹ und zu eben der Zeit,
als Mallarmé das sanfte Martyrium des Gymnasiallehrer-
berufs auf sich nahm und den Abstieg in die Klüfte des lyri-
schen Urwortes begann. Ein einziges Buch brachte auch ihm
die bedingungslose Bewunderung von Verehrern, scharte eine
Akademie um den Meister, rief Kommentatoren auf den
Plan, hymnische und hämische – den Stein der Weisen hat er
doch nicht gefunden, und auch er endet, wie Fibel und wie
Jean Paul selber, im Zwielicht einer schmerzlichen Gelassenheit – der Würfel rollt, doch keiner weiß, wie wird er fallen.
Im ›Fibel‹ ist freilich alles rustikaler und einfältiger darge-
stellt – die unverkennbare, so stark ans Herz greifende Jean
Paulsche Mischung, erhaben und tief in der kümmerlichen
Enge.

Am unmittelbarsten erschließt sich das Wesen des Dichters
im Fragment der ›Kindheitsgeschichte‹ – 50 Seiten, Auszüge
davon sollten in jedem Lesebuch stehen und stehen fast in
keinem. Welch überquellende Fülle auch hier in der Dürftigkeit, welche Schlagkraft des liebenden Herzens, das noch aus
dem Dumpfen das Lichte heraussaugt: »Seligkeit des Mit-
einanderhausens und Ineinanderwohnens«, »Seligkeit des
Zusammenbuchstabierens in der Schwüle der vollen Schulstube«, wo man durch Zapfen an der Wand ab und zu »in
den offenen Mund die herrlichsten Erfrischungen von Luft
aus dem Froste draußen einnehmen durfte«.[5] Das Kosmische
im Häuslichen – ein Archetyp deutscher Literatur, Sterne-
lüfteschwall in Mörikes Stube. Bei Jean Paul tritt etwas anderes dazu: die massive Breite des sozialen Hintergrundes,
der Raubvogelzugriff im Erfassen des Realen. Jean Paul als
ätzender Satiriker, als Schüler Swifts und Blutsbruder Rous-

5 *Aus Jean Pauls Leben*, Ausg. Werke, s. o., Bd. XVI, S. 16.

seaus, Naturenthusiast wie dieser und zugleich Rebell gegen die Knechtung des Menschen, flammender Ankläger der deutschen Misere seiner Zeit, Bedrückung und Dünkel oben, Elend und Servilität unten: das hat Stefan George bewußt übergangen, als er aus dem Werk nur die Träume herauslöste und die leicht erotisierten Jünglingsgestalten. Georges eigener Imperialismus – herrisch formulierter Abglanz einer aggressionsgeladenen Ära – hat wenig genug zu tun mit dem Humanitätsdenken Jean Pauls, das in der großen europäischen Tradition des 18. Jahrhunderts wurzelt, Aufklärung mit Enthusiasmus verbindet, die Menschenrechte heilig hält, Mitleid als höchste Tugend achtet.

Die dunkle Milch der Frühe ist Jean Pauls früheste Erinnerung, »aus meinem zwölf-, höchstens vierzehnmonatlichen Alter«: »Ein armer Schüler, der mich sehr liebgehabt und auf den Armen getragen«, gab sie ihm in einer großen schwarzen Stube der Alumnen. Als ›Labetrunk für Bedürftige‹ hat der Dichter sein eigenes Werk verstanden. Seine ›Neujahrsnacht eines Unglücklichen‹ steht im Weltrepertorium der großen moralischen Geschichten neben Dickens und Tolstoj und ist noch bis tief ins 19. Jahrhundert von französischen Jugendzeitschriften abgedruckt worden. Albert Schweitzer brachte sie nach 1919 für seine deutschen Freunde im ›Elsässischen Kirchenboten‹ – zusammen mit Gefängnisbriefen Rosa Luxemburgs. Jean Paul hätte es nicht mißbilligt. Überall bei ihm neben der Hingabe die Bedrohung, der Sturz in die Tiefe, der entsetzte Blick auf eine Welt von Larven, Heuchlern, Menschenschindern. Und aus nächster Nähe miterlebt, der Prozeß der Erstarrung, Versteinerung des geliebten Vaters.

»Mein Vater war der Sohn des Schulrektors Johann Richter in Neustadt am Culm. Man weiß nichts von diesem, als daß er in höchstem Grade arm und fromm war. Alte Leute erzählen, wie gewissenhaft und streng sein Leben und sein Unterricht gewesen, und doch, wie heiter! Noch zeigt man in

Neustadt ein Bänkchen hinter der Orgel, wo er jeden Sonntag betend gekniet, und eine Höhle, die er sich selber in dem sogenannten kleinen Culm gemacht, um darin zu beten, und welche nach allen Fernen offenstand ... Die Abenddämmerung war eine tägliche Herbstzeit für ihn, worin er, einige dunkle Stunden in der ärmlichen Schulstube auf- und abgehend, die Ernte des Tages und die Aussaat für den Morgen unter Gebeten überschlug. Sein Schulhaus war ein Gefängnis, zwar nicht bei Wasser und Brot, aber doch bei Bier und Brot; denn viel mehr als beide – und etwa frömmste Zufriedenheit dazu – warf ein Rektorat nicht ab ... An dieser gewöhnlichen bayreuthischen Hungerquelle stand der Mann 35 Jahre lang und schöpfte.«[6]

Des Dichters Vater war sensibler, künstlerisch begabt und damit dem Leben gegenüber labil. »Aus Dürftigkeit ergab er sich wie ein Mönch dem Predigtamte und ließ sein Tongenie in einer Dorfkirche begraben.« Armut, Einsamkeit, übergroßer Amtseifer verbunden mit starrem Obrigkeitsglauben hatten den musikbegeisterten Menschenfreund zum Gespenst seiner selbst gemacht, zum harten ›Gesetzesprediger‹. Hebbels ›Meister Anton‹ in einer Hungerpfarre des Fichtelgebirges, »die Borsten von innen nach außen gekehrt«. Aus Standeshochmut wird der Knabe den geliebten Bauernmitschülern entrissen und der barbarischen Pädagogik des Vaters unterworfen. Hier sind die Ketten des Gefangenen geschmiedet worden: das aufgezwungene Auswendiglernen ganzer Enzyklopädien, ein Exerpieren ohne Ende, tote Scholastik, die dennoch den ganz auf sich zurückverwiesenen Knaben faszinierte – und fürs Leben verstrickte. Zur Heilung der Gespensterfurcht war der unbewußte Sadismus des Erziehers auf ein anderes Mittel verfallen: den wehrlos Sensiblen nachts allein in die Kirche zu jagen, wenn eine Leiche dort aufgebahrt lag. Aus solchen Erlebnissen sind die Hieronymus-Bosch-Gestalten hervorgegangen, die immer wieder in

6 ibid., S. 5.

Jean Pauls Werk um die Ecke lauern, unter den Steinen hervorkriechen. Eine beklemmende Lemurenwelt: sie hat primär nichts zu tun mit einem Glaubensverlust oder gar der vielberufenen ›religiösen Substanzentleerung des Abendlandes‹. Sie wurzelt ganz unmittelbar in der Neurose des Vaters und diese wiederum in der sozialen Knechtung und seelischen Auslöschung durch den erstarrten Feudalstaat. Von der baren nackten Existenz, nicht vom Existentiellen her müssen diese Grundlagen zunächst erhellt werden.

Die Last der Familie fiel auf den Sechzehnjährigen, als der Vater plötzlich gestorben war und eine längst verhärmte Witwe mit sieben Kindern im Elend zurückließ. Ein jüngerer Bruder ging ins Wasser, zwei nahe Freunde des Dichters (Bettelstudenten wie er in Leipzig) starben an Auszehrung, Jean Paul selber kam dem Wahnsinn nahe. Wenn er dennoch durchgehalten hat, so muß eine ganz besondere Widerstandskraft in ihm gewesen sein, das Bewußtsein der Berufung, das ihn schon ganz früh durchzuckt hatte: »An einem Vormittag stand ich als ein sehr junges Kind unter der Haustür und sah links nach der Holzlege, als auf einmal das innere Gesicht, ich bin ein Ich, wie ein Blitzstrahl vom Himmel vor mich fuhr, und seither leuchtend stehen blieb: da hatte mein Ich zum ersten Male sich selber gesehen und auf ewig.«[7] Eine ähnliche Erleuchtung in der schwersten Lebenskrise, November 1790: »Wichtigster Abend meines Lebens« – greifbare Todesnähe und Überwindung des Todes »durch stärkere Liebe zu den nichtigen Menschen, die alle dem Grabe zuwanken«.

Die pietistisch-religiöse Färbung der beiden Erlebnisse ist unverkennbar, und doch stellt Jean Paul sich bewußt außerhalb der kirchlichen und sektiererischen Bindungen. Er hat Teil an dem ungeheuren Schub, der sich in der zweiten Hälfte des 18. Jahrhunderts in Deutschland vollzieht: Triumph der Humanität und Toleranz, Wiedereinsetzung der Vernunft und

7 ibid., S. 26.

der Schönheit in ihre Rechte nach jahrhundertelanger Bevormundung durch die Theologie. Geist des ›Heiligenstädter Testaments‹ und damit auch Geist Rousseaus, der aus dem tumben Wunsiedler Johann Paul Friedrich Richter den zur Welt erwachten Jean Paul gemacht hatte. Wie bei Herder aber, seinem engsten Vertrauten in Weimar, bleibt die religiöse Grundstimmung bei Jean Paul lebendiger, drangvoll erregter als bei Goethe, Schiller, Beethoven. Der freudig begrüßte Ausbruch der Französischen Revolution und die politisch-ideologischen Machtkämpfe, die sich aus ihr entwickelten, haben die dialektische Spannung im Dichter oft bis ins Unerträgliche vorgetrieben. Walter Rehm hat zeigen können, welch zunehmende Radikalisierung eine seiner berühmtesten Visionen angesichts der Fehlschläge der Revolution zwischen 1789 und 1796 erfahren hat: die ›Rede des toten Christus vom Weltgebäude herunter, daß kein Gott sei‹.[8]

Die Faszination, die der grandiose Text in der Übersetzung der Madame de Staël auf die französischen Dichter von Nerval, Vigny, Musset bis Balzac, Baudelaire, Renan ausgeübt hat, beruht eben auf dieser Verbindung: vehement tiefe, nihilistische Erfahrung vom ›toten Gott‹ (Büchner, Heine, Nietzsche, Dostojewskij vorweggenommen) und wiedererstandener Glaube an die Macht der Liebe als göttlichem Allprinzip, wie Rousseau es im ›Vicaire savoyard‹ verkündet und Victor Hugo bis an die Schwelle unseres Jahrhunderts im selben Sinne weitergetragen hat. Nicht umsonst sind Nietzsches Urteile über Hugo wie über Jean Paul vernichtend böswillig.

Das Gefühl der Aushöhlung, des Abgestorbenseins, das Jean Paul im Alter immer stärker in die Novemberschauer der Jugend zurückversetzte, hat nicht nur metaphysische Gründe, sondern auch ganz weltlich reale. Die Gemeinschaft, von der

8 *Rede des toten Christus* im Roman *Siebenkäs*, Ausg. Werke, s. o., Bd. VII, S. 266. – W. Rehm: *Experimentum suae medietatis*, 1947 (Neue Ausgabe unter dem Titel: *Jean Paul – Dostojewskij* in Kleine Vandenhoeck-Reihe, Göttingen, 1962).

der Jünger Rousseaus, der Verfasser der ›Friedenspredigt‹ und der ›Dämmerungen für Deutschland‹ geträumt hatte, war nach den Freiheitskriegen ferner denn je gerückt. Die Dichter verkamen in ihrer Einsamkeit; Eremiten überall; die Wirklichkeit sprachlos und kalt. So ist schon ›Rektor Fälbel‹ nicht nur die Karikatur des ›Aufklärers‹, dem der Verstand das Herz eingetrocknet hat: er ist auch der Typ des Untertans, wie ihn Wedekind und Heinrich Mann später dargestellt haben, kriecherisch und brutal. Die Stelle, wo er vor seinen Schülern salbadernd die Natur preist und ungerührt der Erschießung eines Unschuldigen beiwohnt, nimmt Entwicklungen voraus, die einmal massivste Wirklichkeit werden sollten. Auch ›Doktor Katzenberger‹ ist mehr als der grotesk fanatische Raritätensammler: in ihm steckt schon der Typ des Mediziners, der zynisch-jovial Experimente mit ›Menschenmaterial‹ anstellt. Jean Pauls Gestalten nur geistesgeschichtlich sehen, heißt ihnen die Klauen und das Grauen der Wirklichkeit rauben. Die rüde Wirklichkeit läßt sich nicht wegmystifizieren bei diesem scharfen Gegner Fichtes, Schellings, Baaders und frühesten Bewunderer des jungen Schopenhauer. Auch sein ›Titan‹ ist weitgehend politischer Roman mit unheimlichen Schlaglichtern auf eine marionettenhaft groteske oder kriminell korrupte Hofgesellschaft, wie später bei E.T.A. Hoffmann. Die englischen und französischen Vorbilder des deutschen Dichters haben es freilich leichter gehabt und hart ansetzen können, wo Jean Paul immer wieder überdeckt, überspielt. Der Hypertrophie des Innenlebens hat er selbst nur sehr bedingt entgegengewirkt. Hier war und blieb aber auch eine der Wurzeln seiner Kraft.

Nicht viele werden durch das Zerklüftete, Verzwickte und Verklemmte, durch Ruinen und über Gerümpel in die Geheimkammern des gewaltigen Werkes vordringen. Und doch sind hier volle Truhen, ungehobene Schätze barrenweise. Aus Kellergewölben steigen ein paar der zynisch-kühnsten Figuren der deutschen Literatur, Siebenkäs und Leibgeber auf, und zugleich beugen sich über die Verfolgten und Bedrückten Lichtgestalten, wie William Blake sie nicht faszinierender geformt hat. Abrupt grimmiger Humor leuchtet das Elend an. Er löst sich im Rezitativ eines mit Menschenliebe vollgesogenen Herzens, dessen Sprachkraft durch die Jahrhunderte wirkt: »Die ganze Nacht stand die rückende Abendröte unten am Himmel, an welchem die untergehende Sonne allemal wie eine Rose glühend abgeblüht hatte. Um ein Uhr schlugen schon die Lerchen, und die Natur spielte und phantasierte die ganze Nacht auf der Nachtigallen-Harmonika. In seine Träume tönten die äußern Melodien hinein ... Der tagende Traum rückte ihn sanft, wie die lispelnde Mutter das Kind, aus dem Schlaf ins Erwachen über, und er trat mit trinkender Brust in den Lärm der Natur hinaus, wo die Sonne die Erde von neuem erschuf und wo beide sich zu einem brausenden Wollust-Weltmeer ineinander ergossen.«

Hölderlin unter den Deutschen

Für Henri Jourdan

Hölderlin ist ein Deutscher in der unverkennbar schwäbischen Prägung des späten 18. Jahrhunderts. Der Vaterlose war hineingeboren in eine strenge Welt der Väter und der Arbeit, in ein vielschichtiges, vielkammeriges Land mit harten Wintern und sengenden Sommern – ein Land, wo Menschen wie Früchte unter Mühe und Zucht zu evangelischer Reife auskochen mußten, wie Oetinger einmal schreibt, und wo 1810 die Bauern ein neues Gesangbuch mit der Begründung ablehnten, es sei auf dem Sofa, nicht auf den Knien gemacht.[1]

Als lutherisches Bollwerk von den katholischen, zwinglianischen, calvinistischen Nachbarn abgeriegelt, einer nicht ungefährlichen Inzucht hingegeben, die allerdings immer wieder durch Zuströme von außen aufgelockert wurde (auch Hölderlins mütterliche Familie ist nicht schwäbischer Herkunft) – war der Geist Schwabens seit Renaissance und Reformation durch eine Reihe machtvoller Institutionen geprägt, deren Herzstück das Tübinger Stift ist. Wie Hegel und Schelling fühlte auch Hölderlin sich eingezwängt in einen gesellschaftlichen Ausleseprozeß, der die Besten des Landes durch ein raffiniert gestaffeltes System von Schulen hindurchtrieb,

1 Der Essay ist die leicht veränderte Fassung des Festvortrags, der am 8. Juni 1965 vor der Hölderlin-Gesellschaft in Tübingen gehalten wurde. Zweck der Anmerkungen kann nicht sein, ausführliche bibliographische Hinweise zu geben. In gedrängter Form findet der Leser sie bei Lawrence Ryan: *F. Hölderlin* (Realienbücher für Germanisten, Stuttgart 1962). Für Lebens- und Werkgeschichte unentbehrlich die Anmerkungen der *Großen Stuttgarter Hölderlin-Ausgabe* und die Beiträge in den *Schriften der Hölderlin-Gesellschaft* (seit 1944). Die Spezialforschungen von F. Beißner, A. Beck, W. Binder u. a. haben die Biographie des Dichters zum Teil in neuem Licht erscheinen lassen. Ein Meister dieser Forschungsweise bleibt Ernst Müller (u. a.: *Hölderlin, Studien zur Geschichte seines Geistes*, 1944).

aus dem sie als patente Pfarrer, Lehrer, Verwalter, Staatsbeamte herauskommen sollten. Dagegen revoltierten sie, und diese Revolte stellt sie wiederum in die schwäbische Tradition: sie vollzog sich im Namen des wahren Vätererbes gegen die falschen Väter, die geistlichen, sozialen, politischen Bedrücker, die Usurpatoren der Macht. Johann Valentin Andreä, der Enkel Jakob Andreäs, des eisernen Verfassers der Konkordienformel, hat im 17. Jahrhundert die verhärtete Orthodoxie gelöst durch spiritualistische, calvinistische, ja römische Impulse. Bengel, der Urenkel des schwäbischen Reformators Brenz, hat im 18. Jahrhundert die Staatskirche, deren Prälaten im Parlament und in fetter Pfründe saßen, von unten, vom gedrückten Volk her, mit den Säften der Mystik gespeist und erneuert; Johann Jakob Moser, der berühmte Staatsrechtler, ist zur selben Zeit für fünf Jahre mit Bibel und Gesangbuch in Festungshaft auf den Hohentwiel gegangen, weil er – lange vor Uhland und den Männern des 20. Juli – der Fürstenwillkür die verbrieften Rechte der Bürger entgegenhielt. Und wenn 1792 Hölderlin, Hegel, Schelling von der Wurmlinger Kapelle aus dem verhaßten Pfaffen- und Schreiberstaat Altwirttemberg die revolutionäre Parole hinschleuderten: »Vernunft, Freiheit und die unsichtbare Kirche«, so taucht in Gedanken ein anderer schwäbischer Hügel auf, der Asperg, in dessen Gefängnis Schubart zehn Jahre früher Schiller gesegnet und in ein besseres Land der Freiheit hatte ziehen heißen – ein Land, wohin Schiller als guter Schwabe alsbald andere Schwaben nach sich zog, darunter Hölderlin.[2]

2 Allgemeine Einführung in die religiösen Probleme Württembergs: H. Hermelink: *Geschichte der evangelischen Kirche in Württemberg von der Reformation bis zur Gegenwart.* Stuttgart, 1949, 528 S. Das reichhaltige Werk verzichtet meist auf genauere Quellenangaben und muß durch eine Reihe von Einzeluntersuchungen ergänzt werden. Eine Fundgrube auch für die Hölderlin-Zeit bleiben die *Stiftsköpfe* von Ernst Müller, 1938, leider ebenfalls ohne kritischen Apparat. Die später erwähnten Zusammenhänge von Hölderlins, Schellings und Hegels Denken mit dem schwä-

Immer wieder mußte durch die Generationen der lebendige Geist der Liebe gegen die erstarrte Gesetzlichkeit sich durchkämpfen. Aber die Fraternitas der güldenen Zeit, für die sie stritten, war nicht als Erlösung für ein paar wenige gedacht, sondern als Reich Gottes für alle, verleiblicht und offenbart mit den vollen Attributen seiner Kraft und Herrlichkeit. »Der Hauptartikel unserer Religion ist: das Wort ward Fleisch«, hatte Brenz, der schwäbische Luther, geschrieben, und was anders wollte Hölderlin als Realpräsenz des unbekannten Gottes und der geheimen Wahrheit im ausgeteilten Wort?

Das ist das enorme Aggressionspotential in dem sanften Träumer, das Heroische am jungen Tobias auf den Neckarwiesen. Als Adler hat er sich gefühlt, als Lerche hat ihn das 19. Jahrhundert ins Nest der Idylle gesteckt. Diese lange Phase der Verdunkelung im Leben und Nachleben des Dichters kann hier ganz knapp umrissen werden, geht es doch nicht um eine Geschichte der Hölderlinforschung, sondern um Hölderlin als Deutschen unter Deutschen. Jedermann weiß, daß Goethe und Schiller ihm nicht mehr Kredit einräumten als Siegfried Schmid, einem reimenden Freund Hölderlins, der fast zur selben Zeit wie Hölderlin ins Irrenhaus gesperrt wurde, geheilt herauskam und als Husarenoffizier hinten in Ungarn sein Leben verspielte, verschlief und vergaß. Mörike, der Peregrina verstoßen hatte, verwarf ebenso angstvoll die angeblichen Wahnsinnsprodukte Hölderlins. Sein unglücklicher, verleugneter, immer noch verkannter Jugendfreund Waiblinger wurde stärker vom Atem des Genius angerührt. Auch ein anderer Schwabe, Herwegh, war begeistert, und gar Brentano wurde hingerissen von Hölderlins Nachtgesängen, diesen

bischen Pietismus sind von R. Schneider: *Schellings und Hegels theologische Geistesahnen*, 1938, flüchtig skizziert und seither immer genauer untersucht worden, ohne daß bisher eine zusammenfassende Arbeit vorläge. Cf. dazu meine Studien: ›*Herrlichkeit*‹ *chez Hegel ou le monde des pères souabes* (in: *Études germaniques*, VI, 1951, No. 3–4) und *Schiller et les pères souabes* (ibid. X, 1955, No. 2). – Ernst Benz: *Schellings theol. Geistesahnen*, 1955.

schönsten Gedichten deutscher Sprache, wie er einem Freund gegenüber sie nannte – öffentlich hat der egozentrisch in sich Versunkene, Verliebte oder sich selbst Kasteiende nie einen Finger für den Dichter gerührt. August Wilhem Schlegel schwieg – er, der als ständiger Begleiter und Berater der Madame de Staël Hölderlin in ihr Deutschlandbuch von 1810/15 hätte einführen können: welche Wende wäre es gewesen, welch europäische Resonanz hätte Hölderlin schon damals zuteil werden können! Voraussetzung dazu wäre freilich der Druck der großen, in Zeitschriften zerstreuten Hymnen durch Cotta um 1801 gewesen – am Nichtzustandekommen des Plans trägt auch Hölderlin einen Teil Schuld; andere Projekte und die Reisen lenkten ihn ab ... Bettinas Wort und Arnims nobler Aufsatz über den ›Hyperion‹ drangen so wenig durch wie vorher die paar flammenden Seiten von Görres über den Roman und die Gedichte. Das Beste haben treuherzige Schwaben geleistet, indem sie wenigstens die ihnen verständlichen Texte gesammelt herausgaben – in 50 Jahren sind davon rund 5000 Exemplare ins Publikum abgetröpfelt.[3]

Ebenso abweisend die Literaturgeschichte, Hölderlin an den Rand geschoben, ›Hyperion‹ mit Ernst Schulzes ›Bezauberter Rose‹ in einen Topf geworfen oder höchstens als ›romantischer Seitentrieb‹ von Rudolf Haym gewertet. Geringschätzig äußert sich Schwabens führender Ästhetiker, F. Th. Vischer: seine Fehlurteile über Hölderlin wie über Goethes ›Faust‹ sind vergleichbar mit den Fehlurteilen, die Frankreichs größter Kritiker, Sainte-Beuve, fast zur selben Zeit über Baudelaire, Balzac, Flaubert fällte. Selbst Wilhelm Dilthey brauchte Jahrzehnte, bis er von seinem ersten, noch

3 Über das Nachleben Hölderlins: W. Bartscher: *Hölderlin und die deutsche Nation, Versuch einer Wirkungsgeschichte*, 1942. – Titel und Datum des Buches schon lassen die nazistische Optik erkennen. Großangelegt die italienische Arbeit von A. Pellegrini: *Hölderlin. Storia della critica*, 1956. Erweiterte deutsche Ausgabe Berlin 1965.

sehr zurückhaltenden Essay zu jener tieferen Deutung gelangte, die um die Jahrhundertwende die Hölderlin-Renaissance auf den Universitäten mitentschieden hat.

Am erstaunlichsten bleibt neben der systematisierenden Studie von Alexander Jung, 1848, ein enthusiastischer Text aus dem Jahr 1867, worin Hölderlin nicht nur gleichberechtigt neben Goethe, Schiller und die Romantiker tritt, sondern als einer der größten Dichter der Weltliteratur schlechthin gefeiert wird. Der Verfasser, Challemel-Lacour, ein glühender Republikaner, ging unter Napoleon III. zwanzig Jahre lang in die Emigration und wurde nach dem Sturz des Kaisers Mitbegründer, Botschafter und zeitweise Außenminister der 3. Republik – ein Staatsmann und Liebhaber der Literatur, ein Repräsentant also jener innigen Durchdringung von künstlerischem, staatsbürgerlichem und menschlichem Interesse, die den romanischen Ländern eigentümlich ist und deren Fehlen in Deutschland Hölderlin frieren machte wie einst Dürer, wie Goethe bei ihrer Rückkehr aus dem Süden. Ein ähnlicher Menschentyp war dem Dichter in jenem französischen Aristokraten begegnet, dessen ungemein lebendiges Buch über eine Griechenlandreise ihn mit zum ›Hyperion‹ angeregt hat: der Graf Choiseul-Gouffier.[4]

Das Dunkel in Deutschland lichtet sich für den fast verschol-

4 ED. KRAKOWSKI: *La naissance de la 3. République: Challemel-Lacour, le philosophe et l'homme d'Etat*, Paris, 1932. – Challemel-Lacour hatte längere Zeit Zuflucht in Zürich gefunden. Anderseits war er mit Herwegh befreundet, der schon 1839 in einer deutschen Emigrantenzeitschrift der Schweiz einen seltsamerweise auch von Pellegrini nicht zitierten hymnischen Aufsatz über Hölderlin als Freiheitsdichter verfaßt hat (Wiederabdruck bei Hans Mayer, *Meisterwerke deutscher Literaturkritik*, 1956). – Die *Nouvelle Revue germanique* hatte schon im Okt. 1832 Auszüge aus dem Hyperion samt einer kurzen Einleitung gebracht, ohne den Übersetzer zu nennen. In der gleichen Zeitschrift, Dez. 1836, berichtet Philarète Chasles, der Jean-Paul-Übersetzer und spätere Professor am Collège de France, über einen Besuch beim kranken Hölderlin in Tübingen und schließt mit einer Reihe von Bemerkungen über den Verfasser des Hyperion als politischen und von der Politik enttäuschten Dichter. Veränderte

lenen Hölderlin erst mit dem Auftreten zweier souverän unbeamtenhafter Kenner der Weltliteratur und Geistesgeschichte: Nietzsche nach 1870, Stefan George nach 1890.

Dieselben Jahre 1908–1914, die als Keimzelle der ganzen modernen Kunst bis heute noch nicht ausgeschöpft sind, brachten auch den definitiven Wandel im Bild der Literatur. Hölderlin, Büchner, Kleist werden in ihrer Radikalität sichtbar und lösen für eine aufbrechende Jugend die distanzierten Weimaraner ab, wie das wilhelminische Bürgertum sie sich zurechtfrisiert hatte.

Der Umsturz der Gesellschaft im verwüsteten Europa sanktionierte die neuen Vorbilder auch für die breitere Masse. In Frankreich haben zur gleichen Zeit und aus gleichen Gründen Baudelaire, Verlaine, Mallarmé, Rimbaud die großen Rhetoren der Romantik entthront. Ein Unterschied bleibt: daß schon im ersten Weltkrieg Hölderlin auch politisch annektiert wurde als Symbol des sterbenden Kriegers im Dienst eines germanischen Großreichs, und daß der Höhepunkt seines staatlich geförderten Ruhmes zuletzt mit der Herrschaft von Mördern zusammenfiel, die den Reinsten der Reinen als Blutzeugen und Künder der arischen Seele hinstellten, eifrigst bedient von einer pervertierten Germanistik – ein Paradox, das um so mehr zu denken gibt, als es bisher so gut wie unbeachtet geblieben, vertuscht oder bagatellisiert worden ist.

Vorher aber müssen wir noch dem Knaben und Jüngling in die Mönchsknechtschaft nach Denkendorf und Maulbronn folgen. Ora et labora vom Morgengrauen bis in die Nacht

Fassung des Artikels im Essayband: *Études sur l'Allemagne au XIXème siècle*, 1861. Das Datum des Tübinger Besuchs wird dort von 1815 auf 1840 verlegt. Über die problematischen Hintergründe des Berichts, cf. die genauen Hinweise bei C. Pichois: *Philarète Chasles et la vie littéraire au temps du romantisme*, Paris, 1965, 2 Bde; I, 353–356. Dem Spürsinn Chasles', der auch Melville für Frankreich mitentdeckt hat, fällt jedenfalls das Verdienst zu, auf H. zu einer Zeit hingewiesen zu haben, wo der Dichter auch in Deutschland weitgehend verschollen war.

hinein; die Tore am Sonntag nach außen zu verriegelt, Natur ferngehalten, die Novizen auf Andacht und Studium zurückgeworfen. Im Studium fanden sie aber auch die Waffen ihrer Befreiung.

Wenn Hölderlin so ganz selbstverständlich die Gäulandschaft in die Heiterkeit des griechischen Lichts transponiert, wenn er im Spätwerk fulgurante Visionen des archaischen Griechenlands dem Dunkel entreißt, so geschieht es nicht, weil er als Nachkomme alemannischer Sippenverbände dem Erdgeheimnis und als germanischer Seher den Müttern näher gewesen wäre als die Franzosen mit ihrem angeblichen Afterklassizismus, sondern weil auf den schwäbischen Theologieschulen seit Generationen Latein, Griechisch, Hebräisch systematisch einexerziert und neben dem Buchstaben auch der Geist der Bibel und der Antike durchdrungen worden war.

Heinrich Bebel, der Frühhumanist und harte Bauernsproß der Alb, hatte nicht umsonst Sindelfinger und Böblinger Bauernschwänke ins Lateinische übertragen und seine lateinische Grammatik für alle Zeiten den Bauernschädeln der Stiftler eingebläut; Melanchthon nicht umsonst das Griechische gefördert und sein Oheim Reuchlin die orientalischen Sprachen derart propagiert, daß die Geheimsprüche der Kabbala auf dem Umweg über spiritualistische Stiftler immer wieder ins Landvolk eindrangen und bis heute die Sinnierer unter diesen Realisten befruchtet haben: eine Art kollektiver Durchtränkung mit hellenisch-orientalischen Elementen, zentral gesteuert vom Stift, genial weiterentwickelt und gestaltet von Einzelnen wie Hölderlin, Hegel, Schelling. Gewiß hatte Klopstock bereits in Schulpforta unter ähnlichen Bedingungen das deutsche Sprachinstrument durch die genaueste Kenntnis des Griechischen erneuert, geschmeidigt, durchglüht und es über Goethe an Hölderlin weitergereicht; Nietzsche hat hundert Jahre später aus der gleichen Schulung, den gleichen Mönchsleiden und den gleichen griechischen Aufschwüngen her Hölderlin als erster im Geist brüderlich umarmt –

aber ein ganzes Land ist von Schulpforta nicht geprägt worden wie das kraftvoll in sich ruhende Schwaben vom Stift. Der Anschluß an die Antike und den dahinterstehenden Orient war hier wiedergefunden zu einer Zeit, wo in den romanischen Ländern die Jesuiten dem Latein das Monopol gesichert und damit auch gerade Frankreichs gloriosen Renaissancegräzismus und Hebraismus weithin unterbunden hatten. Kirche und absolutes Königtum mißtrauten dem Griechischen. Als Sturmwetter der geistigen und republikanischen Freiheit war das hellenische Pneuma aufgebraust beim Spanier Michel Servet, den Calvin in Genf verbrennen ließ; beim Italiener Flaminio mit seinem hölderlinischen Sonnen- und Ätherkult; bei Biandrata, bei Fausto Sozzini, der abgehetzt in einem polnischen Winkel starb, dessen häretisches Wort aber als heimliche Saat immer wieder in ganz Europa aufschoß; bei den englischen Gräzisten schließlich, deren dynamische Gottesauffassung und Idealvision kleiner freier Gemeinschaften Friedrich Heer mit Recht neben den inbrünstig schweifenden, joachimitischen und republikanischen Griechenglauben stellt, womit Hölderlin der altlutherischen Dogmatik so hart aufsaß.[5]

Kulturhistorische Perspektiven öffnen sich so und müssen geöffnet werden, um Hölderlin der sektiererischen Abkapselung durch Heidegger zu entreißen, der ihn als einsamen deutschen Seher Gipfelgespräche mit den archaischen Griechen führen läßt hinweg über Jahrhunderte hohlen Geschwätzes, totgeborener Metaphysik, radikaler Seinsfinsternis. Eine imperatorische Auslöschung der Geschichte, der in der deutschen Hölderlin-Forschung eine zeitlich begrenztere, aber nicht weniger verhängnisvolle Ausklammerung vorausgegangen ist: die der Französischen Revolution.

Gewiß ist Hölderlin kein politischer Kopf im eminenten

5 Friedrich Heer: *Die dritte Kraft (Der europäische Humanismus zwischen den Fronten des konfessionellen Zeitalters)*. Frankfurt, 1959, S. 442 sq., S. 485 sq.

Sinne Schillers gewesen. Die feminine Komponente in seinem Wesen war nie durch eine Vateridentifikation kompensiert worden, wie sie sich dem härteren Schiller im Doppelvorbild des geliebten und gehaßten eigenen Vaters und des herzoglichen Ziehvaters Karl-Eugen von selber anbot. Und doch hat die Revolution – nach Hölderlins eigenen Worten – in die borniertте Häuslichkeit des damaligen schwäbischen und deutschen Feudalstaates hereingeleuchtet »wie ein unaufhörlich Wetter« und das Tor zu Welten aufgestoßen, wo die antike Republik im Geist des achtzehnten Jahrhunderts neu zu erstehen schien, getragen vom Genius einer hingerissenen Jugend.

Mit Flammenschrift hatte die neue Zeit sich schon in die Stammbücher der Freunde eingeschrieben: Es lebe die Freiheit, es lebe die Revolution, es lebe Saint-Just. Direkte Verbindungen führten in die revolutionären Zentren: nach Mömpelgard-Montbéliard, der württembergischen Enklave in Frankreich; nach Straßburg und bis nach Bordeaux hinunter, wo Reinhard, der einstige Stiftler und jetzige Hofmeister, als Freund der Girondisten seine triumphale politische Laufbahn begann und in beschwörenden Briefen Schiller selbst für die Sache der Revolution zu gewinnen versuchte.

Schiller, der als Robespierre der deutschen Literatur so viele Köpfe hat rollen lassen – Bürger wurde sein berühmtestes Opfer – nahm die jungen schwäbischen Bewunderer zunächst freundwillig auf, plante sie weitschauend in sein System ein, diskutierte oder spielte Karten mit dem genialisch selbstbewußten Herrensohn Schelling, legte Hölderlin als verschüchterten Hofmeister in die mütterlichen Arme seiner Ex-Titanide Charlotte von Kalb – auch dies ein taktischer Schachzug des größten deutschen Dichters der Macht.

Der puritanische Rigorismus, mit dem der Griechenschwärmer Hölderlin den Knabensünden seines Zöglings entgegentrat, zeigt einmal mehr die explosive Diskrepanz in seinem Wesen. Mit ähnlich unproportionierter Vehemenz projizierte

Hölderlin das stets gesuchte, nie gefundene Vaterbild in Schiller, geriet in größte Erregung, als ein fremder Gast das erste lange Gespräch störte; wie ein blinder Maulwurf sah, spürte, erkannte er Goethe nicht, witterte mit keiner Faser den Halbgott im Zimmer – subjektivische Überspanntheit, mehr noch: biologische Anfälligkeit, die einmal alle Nervendämme überfluten sollte, die aber, mit Sprachgenialität gekoppelt, den Hymnen des Lyrikers die dramatische Intensität verliehen hat, und sie, von allem Akzidentellen befreit, dem Ziel unmittelbar zuschießen läßt. Ob die Enttäuschung über Schiller und die Angst vor Fichte, der mit jakobinischer Radikalität ein geistiges Todesurteil nach dem andern fällte, Hölderlin aus Jena und Weimar vertrieben haben oder ob eine zwielichtige Liebesaffäre, verbunden vielleicht mit der Geburt eines unehelichen Kindes, die angstvolle Rückkehr zur Mutter mitveranlaßte, sei dahingestellt. Eine grobkörnige Sinnlichkeit brach bisweilen in den Stiftlern durch: nicht umsonst waren die Tübinger Winzer, die »Gogen«, die Sancho Pansas dieser Don Quichotten und rumorten manchmal in ihnen.
Schellings Liebesaffären bildeten einen Skandal der Epoche; Hegels unehelicher Sohn wurde später Stadtgespräch in Jena. Verräterisch klingt für Hölderlin (neben anderen, positiveren Belegen) eine Äußerung aus der Wahnsinnszeit, wo er das Kind, das er vielleicht gehabt hat, aber dann nur auf der Stufe der Dienstmädchenliebe, Diotima selber andichtet: »Ach, meine Diotima! reden Sie mir nicht von meiner Diotima? Dreizehn Söhne hat sie mir geboren, der eine ist Papst, der andere ist Sultan, der dritte ist Kaiser von Rußland« und hastig, in bäurischem Schwäbisch: »Und wisset Se, wie's no ganga ist? Närret ist se worde, närret, närret, närret!«[6] Mit alemannischer Schollenverbundenheit hat das wenig zu tun;

6 Neben ähnlichen, von Besuchern überlieferten Aussprüchen vgl. auch Gedichte aus der Spätzeit wie etwa das von der über dem Strickstrumpf einschlafenden jungen Frau mit seinem merkwürdig bäuerischen Akzent (*Auf falbem Laube*).

wir finden dieselbe Verwurzelung in der Tradition eines alten Bauernlandes bei Paul Claudel und Charles Péguy, auch bei ihnen gepaart mit dem Zug zum Monumentalen und dem Sinn für große hierarchische Wesensformen.[7]

Spuren rustikaler Derbheit und Zähigkeit lassen sich bis zuletzt bei Hölderlin nachweisen. Sie treten aber immer zurück hinter dem Anstand, der Artigkeit und der inneren Grazie seines Wesens. Erziehung zu Lauterkeit, zu absoluter Wahrhaftigkeit im Sinn des Franckeschen Pietismus, waren die Grundregeln der Mutter gewesen – einer sächsischen Pastorentochter, zu der es den Dichter bei jeder Krise zurücktrieb und von der er sich doch jedesmal grausamer entfremdet fühlte. Nach dem frühen Tod der beiden Gatten hatte sich ihre Lichtgestalt zusehends verdüstert, pietistisch verengt, verschattet und den Sohn in die Verschattung hineingerissen, ihn kastriert: Schönheit wurde als Luxus, Kunst als Sünde verworfen; Sparen, Pfarrer werden, Heiraten als Lebensziel hingestellt. Vergebens schrieb Charlotte von Kalb einen großartig beschwörenden, eindringlichen Brief: »Halten Sie alle kleinlichen Sorgen von Ihrem Sohne fern«, – die Mutter war nur noch kleinliche Sorge und Hölderlin, bei ihr geborgen, nur ein hohler Hafen, ein Scherben.[8]

Plötzlich zerreißt der Vorhang. Aus der drangvollen Enge, wo Großmutter, Mutter und Kind in dumpfer Stube beisammen sind, treten wir ins Frankfurter Patrizierhaus mit den

7 A. Beck, der im *Hölderlin-Jahrbuch* von 1957, S. 46–66 als erster auf das Verhältnis von Hölderlin zu Wilhelmine-Marianne Kirms und die Geburt eines Kindes im Juli 1795 aufmerksam gemacht hat, bleibt selber in seinen Schlußfolgerungen vorsichtig. Die Basis der Hypothese scheint bis auf weiteres zu schmal. Jean Laplanche nimmt sie vielleicht voreilig als gesichert an in seinem Werk über *Hölderlin et la question du père*, Paris, 1961, das psychoanalytische und phänomenologische Untersuchungsweisen verbindet.

8 Charlotte von Kalb, Brief an Hölderlins Mutter. In: Wilhelm Michel, *Das Leben Friedrich Hölderlins*, 1940, S. 123.

weiten Räumen, hohen Spiegeln, Silbergeschirr, Karossen, die ins Theater oder in Gesellschaft rollen, Blick über den Garten auf den Taunus, das Landhaus mit Pappeln in der Ferne. Tizianteint der Hausherrin, die Heinse und der alte Wieland umschwärmen – aber auch Distanz der gebürtigen Hamburgerin, wie Fontane und Thomas Mann sie ihren Hamburgerinnen mitgeben sollten und wie die hugenottische Erziehung sie hier noch verstärkt hatte. Die Mischung von Glut und Kälte entsprach der innersten Art Hölderlins; er fühlte sich verstanden und bewundert, nicht mehr bevormundet wie von der Mutter oder der willensmächtigen Charlotte von Kalb. Das virile, phallische Element in ihm konnte sich endlich entfalten. Er hatte die geistige Führung übernommen und wurde zugleich liebend geschmeidigt.

Susette Gontard tritt in eine Reihe mit den sensiblen und sozial höher gestellten Frauen, die deutsche Dichter herangebildet und damit eine bestimmte Art von Klassik überhaupt erst ermöglicht haben. Wieland ist in diesem Sinn durch Sophie Laroche erzogen worden; Goethe durch Charlotte von Stein; Schiller durch Charlotte von Kalb, und Hölderlin durch Susette Gontard.

Griechin war sie nicht mehr als die Französinnen und Engländerinnen auf dem Hintergrund ihrer weißen Villen im antiken Stil des ausgehenden 18. Jahrhunderts und im Faltenwurf des antikisierenden Kostüms. Der geistverwurzelte, philologisch vergrübelte Gräzismus des Stifts, hier war er offenbare Herrlichkeit geworden; Schönheit keine Sünde mehr, sondern Lebensatem. »Là tout n'est qu'ordre et beauté, luxe, calme et volupté«, schreibt Baudelaire im berühmten Gedicht, »Mon enfant, ma sœur, / songe à la douceur / d'aller là-bas / vivre ensemble«.

Diotima am Klavier, die junge schöne Gesellschafterin mit der Laute, Hölderlin mit der Flöte: eine typische Salonszene – nicht im frivol abwertenden Sinn, sondern im Sinn der hölderlinschen Seelengeschwisterschaft, die auch das Thema von Balzacs ›Lilie im Tal‹ bildet, wo der junge Felix de Vandenesse mit der Schloßherrin eine ideale, vom Tod besiegelte Liebesbindung eingeht. Hinter Balzacs mystischem Roman der noch zartere, religionsgeschwängerte von Sainte-Beuve, ›Volupté‹; und hinter beiden einer der größten, ganz verinnerlicht musizierenden französischen Seelenromane des 19. Jahrhunderts: ›Oberman‹ von Senancour aus dem Jahr 1804 – nicht ohne Grund ein Lieblingsbuch Chopins und Liszts mit seinen erregend neuen chromatischen Modulationen des Empfindungslebens. Zugleich ein nachthermidorianischer Roman – den Begriff hat, lange vor Georg Lukács, Challemel-Lacour in seinem enthusiastischen Hölderlin-Essay gebraucht, wo er als gemeinsame Wurzel von ›Oberman‹ und ›Hyperion‹ doppelte Enttäuschung über die unmögliche Liebe und über die unmögliche Revolution nennt.[9]

Nur ist verglichen mit ›Oberman‹ die Vaterwelt im ›Hyperion‹ ganz anders am Werk; das heroische Element überwiegt das elegische; es geht weniger um Liebesglück und Entsagen als um das Wesen einer neuen fraternitas im Sinn von Johann Valentin Andreäs ersten rosenkreuzerischen Schriften oder auch im antisentimentalen Sinn Oetingers, wenn er schreibt: »Beten heißt nicht Worte vor Gott ausschütten, Beten heißt die Macht üben, um mit Gott zu wirken.« Wirken, mit Gott wirken, mit Gott auf die Gemeinschaft wirken – das war der religiöse und politische Sinn des ›Hyperion‹ wie des ›Empedokles‹. Hinter beiden steht als politisches Vorbild die Republik der Griechen und ihre moderne Nachgeburt, die Französische Revolution.

Aber schon war – seit 1795 – der Republik das Rückgrat gebrochen: nicht durch die Guillotine, sondern durch das neue Besitzbürgertum, das den Machtapparat des zusammengebrochenen Feudalstaats unter Ausschluß des Volks in die Hand

9 Senancour: *Oberman*, 1804. Kritische Ausgabe in 2 Bänden von A. Monglond, 1947. Dazu ein hervorragender Kommentarband. – 1965 auch Taschenbuchausgabe des Romans.

bekommen hatte und den Aufstieg Bonapartes zum neuen römischen Imperator vorbereitete.

Hölderlin, einen Augenblick in Frankfurt zum Festmahl zugelassen, wird vom Bankier Gontard zu den Lakaien verstoßen wie Mozart in Salzburg vom Bischof.

Herr und Knecht: um dieses Thema hatte die Reflexion der Freunde seit dem Stift gekreist. Religiöser Modellfall war das Verhältnis Jehova – Abraham – Isaak gewesen; politischer Modellfall das Verhältnis Landesherr – Landstände – Volk in Schwaben und das Verhältnis Feudalwelt – revolutionäre Führung – Volk in Frankreich seit 1789.

Hegels Haß auf die heimische Oligarchie, die das Volk vertreten sollte und es so oft mit den Fürsten betrog, sog immer neue Nahrung aus der dauernden, durchdringenden Reflexion über die dramatischen Vorgänge jenseits des Rheins und die erbarmlose Beobachtung der Berner und der Frankfurter Oligarchie vom Standpunkt des Hauslehrers und Hofmeisters aus: seine ätzenden Bloßstellungen der herrschenden Kaste fanden ihr Echo beim ebenso gedemütigten Freund Hölderlin und nehmen in ihrer Schärfe die Kritik Julien Sorels voraus, Stendhals Hauslehrer im Frankreich der Restauration.

Wie Stendhal hat es letzten Endes auch Hegel, den massiven Nachkommen schwäbischer Kanzleibeamten, zum Imperator gezogen. Ein verborgener Chronist des Weltgeistes, hat er ihn später noch bewundernd als Weltseele durch Jena reiten sehen. Goethe tauschte zur gleichen Zeit mit dem Kaiser die geheimen Zeichen der Auguren aus. Hölderlin ist in strikterem, wenn auch idealischem Sinn »Jakobiner« geblieben, bald den Adlerflug des damals noch republikanischen Generals und Sohns der Revolution besingend, bald den verrauschten Festen der revolutionären Gemeinschaft nachtrauernd, die so unmittelbar aus Stil und Pathos der Antike erwachsen waren. Sinclair schürte das politische Interesse immer erneut an – Sinclair, der den Freund nach dem Frankfurter Eklat zu sich herübergeholt hatte, einen neuen Prinzen von Homburg.

Homburg bildet einen Höhepunkt im Schaffen Hölderlins. Nicht er arbeitet mehr an den Weimarer Zeitschriften mit: bescheiden, aber bestimmt lädt er Goethe und Schiller zu Mitarbeit an seinem eigenen Organ ein, dem geplanten Sammelpunkt der zerstreuten Energien. Keine Flucht zur Mutter; im Gegenteil: Offenbarung seiner geheimsten Projekte. Einen Pfarrer glaubte sie geboren zu haben, Stifter einer besseren Gemeinschaft wollte er sein. Brot und Wein, die seine Väter als Klosterverwalter real ausgeteilt hatten, wollte er in geistigem Sinn unter die Menschen bringen, die frohe Botschaft des neuen Bundes verkünden.

In neuer Form lebte hier die Föderaltheologie des Coccejus weiter, die durch Jägers Kompendium und Kommentare seit 1700 in ganz Württemberg infiltriert war: fortschreitende Heilsoffenbarung durch einander überhöhende Bundesbeschlüsse, Aufstieg vom Reich der Natur übers Reich der Werke zum Reich der Gnade. Die Größenordnung war freilich eine andere; die ausgeklammerte Natur wie schon bei Oetinger voll mithereinbezogen; die alten Götter einbeschlossen. Nicht umsonst hatten sie seit Generationen ans Stift geklopft: Dionysos trat zum jüngeren syrischen Bruder Jesus.

Eine Utopie, an der Hölderlin zerbrechen sollte; eine Blasphemie in den Augen der Frommen, verhüllt durchs Dunkel der dichterischen Verheißung. Tief christlich aber bleibt bei Hölderlin dieses: der neue Bund hatte keinen Sinn und Wert, wenn der alte nicht in ihm inbegriffen war; ohne die Mutter, die Schwester, den Bruder war die versprochene Geistesgemeinschaft keine Gemeinschaft mehr. Das ist jener oft verkannte ethische Grundzug in Hölderlin, die Feinheit seines Empfindens, die Rechtlichkeit seines Denkens, der evangelische Sinn für die Letzten, die die Ersten sein sollen. Hölderlin ist nicht der Wortmagier, der nornenverschworen Merseburger Zaubersprüche vor sich hinraunt. Das Strömende in seinem Werk strömt aus einer Menschlichkeit, die

allen Qualen offenstand – den seelischen und geistigen, aber
auch den ganz realen Qualen der Entrechteten, der Beleidig-
ten und Erniedrigten, wie Bettina sie einmal nennt. Und wenn
der schwäbische Bauerndichter Christian Wagner aus Warm-
bronn 1894 sein eigenes Lebensideal definiert, so umreißt er
damit zugleich, ohne es zu wollen und inniger als viele andere, Grundzüge von Hölderlins Wesen: »Natursinn, Rechts-
sinn, Billigkeitssinn, Schönheitssinn und das Erbarmen.«[10]
Die Rolle Sinclairs, dieses barmherzigen Samariters unter
den Freunden Hölderlins, muß genauer betrachtet werden.
Sinclair ist so geheimnisvoller Abkunft wie die Prinzen aus
den Romanen Jean Pauls. Der Sohn eines schottischen Adligen stand in erstaunlich enger, längst nicht ganz geklärter
Gunst beim Landgrafen von Hessen-Homburg, dessen Ver-
trauensmann er bis zum plötzlichen Tod auf dem Kongreß von
Wien geblieben ist trotz aller offen demokratischen Betäti-
gung. Im Beisein Hölderlins hat Sinclair auf dem Rastatter
Kongreß von 1798 mit Vertretern der schwäbischen Stände
den Franzosen das Projekt einer schwäbischen Republik
unterbreitet, die auch Teile der Schweiz umfaßt hätte. Zum
erstenmal seit Generationen waren die Dinge wieder im Fluß,
und Hölderlin hat aus nächster Nähe die Möglichkeit einer
radikalen Neugestaltung im Sinn der republikanischen Kon-
stitution aus dem Jahr III der Französischen Revolution miterlebt.[11]
Aber die Würfel in Paris waren längst gefallen, das Direk-
torium und Talleyrand steuerten einem neuen Cäsaro-Mon-

10 Christian Wagner: *Neuer Glaube*, 1894.
11 W. Kirchner: *Der Hochverratsprozeß gegen Sinclair*, Marburg 1949
(mit Bibliographie; dazu seine weiteren Studien über den Homburger
Kreis im Hölderlin-Jahrbuch, 1951, 1954). Viele andere Hinweise bei
M. Delorme: *Hölderlin et la révolution française*, 1959 (aus dem Nachlaß
des jungverstorbenen Autors). Vieles bedarf einer weiteren Klärung, so
auch auf poetologisch-philosophischem Gebiet die Analyse von Sinclairs
dreibändigem Werk: *Wahrheit und Gewißheit*, 1813. Für wertvolle Hinweise bin ich Frau Dr. M. Roddewig dankbar.

archismus zu und damit auch dem Königtum Württemberg. Sinclair kam für vier Monate als Hochverräter auf die Solitude, sein schwäbischer Freund Baz auf den Asperg; die Gunst des Landgrafen blieb ihm aber auch weiterhin gewahrt, er avancierte zum Geheimrat, wurde 1802 auf den Regensburger Kongreß delegiert und nahm wiederum Hölderlin mit: selten ist ein deutscher Dichter so unmittelbar von der politischen Aktualität, von ständigem politischem Fluidum umgeben gewesen wie Hölderlin – und das hat die Forschung übersehen, wenn sie es nicht als Durchbruch des Dichters zu germanischer Sippenverbundenheit travestierte.

Reinhard, der ältere Stiftler und einstige Hauslehrer in Bordeaux, hatte inzwischen als Chef der französischen Zivilverwaltung die Toskana regiert, in glücklicher Ehe mit einer Hamburgerin, während Hölderlin und Susette wie die zwei Königskinder untergingen, dafür aber am Firmament unseres Gedächtnisses als Sternbild der Liebenden aufleuchten: Geheimnis der dichterischen Mutation. Man lese den Brief, worin Reinhards Gattin ihre Residenz, den Palazzo Panciatichi in Florenz, beschreibt: »Einen großen Garten voll Orangenbäumen und eine Aussicht über Feld, Gärten, Landhäuser, Weinberge in der üppigsten Fülle, von den Apenninen umkränzt ...« Das ist vom Kern des Konkreten her erlebt; im ›Hyperion‹ ist der Süden erträumt und gestaltet: er allein lebt weiter. Die Linien des Lebens sind verschieden.

Im Sommer 1799 stieg der Schwabe für drei Monate zum Außenminister Frankreichs auf, wurde von Talleyrand abgelöst und blieb dann fast 40 Jahre bis zu seinem Tod 1837 dessen rechte Hand, die graue Eminenz des Auswärtigen Amtes. Auch den protestantischen Ex-Theologen hat wie den katholischen Ex-Priester kein Regierungswechsel zu Fall gebracht, sondern jeder eine Stufe höher: Baron unter Napoleon I., Graf unter Ludwig XVIII., Großkreuz der Ehrenlegion unter Karl X., Pair de France unter Ludwig-Philipp, dazu Mitglied der Akademie und Präsident der lutherischen Kirche: eine mustergültige Verpflanzung ehrbaren, leicht schlitzohrigen Schwabentums nach Frankreich. Der Comte de Reinhard war ein Fels des Fleißes, des Phlegmas und der Verläßlichkeit in den Wirren einer unverläßlichen Zeit, ein treuer und geliebter Korrespondent Goethes, der Hölderlin seinerzeit kaum eines Blickes gewürdigt – wie töricht und genial erscheint Hölderlins Jugend und sein freiheitlicher Geist gegenüber diesen arrivierten, wenn auch sehr hintergründigen Exzellenzen! Das gerade hat den Dichter vor dem ersten Weltkrieg der Jugend und Jugendbewegung so unmittelbar nahe gebracht in einem allerdings gefährlich mythisierenden Sinn, der vom wahren politischen Denken Hölderlins überhaupt nichts mehr wußte, weil Politik für diese Generation etwas so Inexistentes war wie für die Stiftler von 1790 eine Lebensnotwendigkeit und ein Fundament des Denkens.[12]

Unter dem Verdacht des Jakobinismus ist Hölderlin noch 1801 beim Überschreiten des Rheins 14 Tage lang von der Straßburger Polizei sistiert worden, wie Pierre Bertaux nachgewiesen hat, von dem noch ganz andere Enthüllungen zu erwarten sind. Über die Auvergne, nicht über Paris durfte der suspekte Fremde schließlich nach Bordeaux weiterreisen. Daß unersetzliche Dokumente über den dortigen Aufenthalt – wie über die spätere Tübinger Zeit – verschleudert oder entfernt wurden, weiß man allmählich.[13]

---

12 Ausführliche ältere Biographie von W. Lang: *Graf Reinhard, ein deutsch-französisches Lebensbild, 1761–1837.* Bamberg, 1896, 614 S. – Neue Quellen erschlossen durch das Cotta-Archiv in Marbach. Cf. die Gedenkschrift zum 200. Geburtstag, hg. Else R. Groß: *K. F. Reinhard, ein Leben für Frankreich und Deutschland*, Stuttgart, 1961. – Die Briefstelle über den Palazzo Panciatichi in Florenz bei Lang, S. 187. – Neue kritische Ausgabe des *Briefwechsels zwischen Goethe und Reinhard*, Insel Verlag, 1957, mit Nachwort von O. Heuschele und Zeittafel.

13 Pierre Bertaux: *Hölderlin, Essai de biographie intérieure*, 1936. In Vorbereitung eine völlig revidierte Fassung der Arbeit, die besonders auch die bisher stark vernachlässigten oder willkürlich interpretierten politischen Aspekte von H.'s Werk auf Grund neuer Quellenstudien umfassend

Skrupulös hatte Hölderlin sich schon in der Schweiz an Schillers Rat gehalten: »Bleiben Sie der Sinnenwelt näher, so werden Sie weniger in Gefahr sein, die Nüchternheit in der Begeisterung zu verlieren« – eine alte Parole der Schwabenväter durch die Jahrhunderte, »über dem süßen Genuß der mystischen Zentralschau nicht die Nüchternheit zu verlieren.«[14]

Zwei Elementarphänomene wurden vom Dichter in den letzten Jahren hereingeholt: die Alpen und der Ozean. Beide waren der französischen Prosa schon durch Rousseau und Chateaubriand einverleibt worden und hatten die Prosa des 18. Jahrhunderts eruptiv gesprengt. Hölderlins Hymnen sprengen die klassische Prosodie. Das Hin und Her zwischen Auflehnung gegen eine Zeit, deren Bleilast sich nach jener Morgenröte der Freiheit dem Dichter immer schrecklicher offenbarte, und Flucht in die Stille des Wortes jenseits aller unmittelbaren Kommunikation gibt dem Spätwerk – dem Werk eines Dreißigjährigen! – die ungeheure Spannung und verschiebt, um mit Adorno zu reden, das ganze dichterische Gefüge von der klassischen Synthesis zur abrupten Parataxe.[15]

Hölderlins eigene Kommentare zu den letzten Dichtungen erhellen und verdunkeln sie zugleich. Unbeachtet bleibt meist der warme Bronzeton, der die Briefe aus dem Süden durchglüht. Hölderlin war hier nicht nur *einer* griechischen Gestalt in stilisiertem antiken Dekor begegnet wie Diotima in Frankfurt. Er hatte ein ganzes Volk kennengelernt in seinem Leben unter dem Feuer des Himmels, aber auch in seiner Stille, er hatte das Athletische der südlichen Menschen bewundert

darzustellen beabsichtigt. Einige dieser Thesen sind skizziert in *Du nouveau sur Hölderlin* (*Études germaniques*, XX, 2, 1965, S. 172–177).

14 Brief Schillers an Hölderlin vom 24. 11. 1796. In: *Friedrich Schiller Briefe*. Ausgewählt und herausgegeben von R. Buchwald. Leipzig: Insel Verlag o. J., S. 538 ff.

15 Th. W. Adorno: *Parataxis. Zur philosophischen Interpretation der späten Lyrik Hölderlins* (Neue Rundschau, 1964, I).

in den Ruinen des antiken Geistes. Winckelmann, Goethe, Heinse haben in Italien und Sizilien die gleiche Begegnung mit der Antike erlebt und vor ihnen Claude Lorrain, der junge, stille, kraftvoll-sensible Bauernsohn von den Moselwiesen, dessen gewaltige und zugleich zauberhaft lichtdurchflossene Gemäldekompositionen später Goethe durch die Thüringer Nebel anschimmerten und aufrichteten. Das harte Licht des Südens hat Hölderlin viel stärker im Sinne Cézannes empfunden, der das Sommerglück eines Monet, eines Renoir hingab, um in gesetzlichem Kalkül festere Fundamente zu legen – und bisweilen im apokalyptisch lodernden Sinn van Goghs, schwarze Sonne über verbrannter Erde.[16]

Hölderlins Erfahrung ist aber auch hier vom Politischen mitbestimmt. Er sieht die Freiheitskämpfer, das Wilde, Männliche, Kriegerische an ihnen, ihre patriotischen Zweifel in der Vendée, ihren Tod, den Hunger der Frauen und Kinder, die geschwärzten Hütten. Die politischen Hinweise sind in ihrer Kargheit so präzis verläßlich wie die landschaftlichen auf die Ufer der Garonne, die Wiesen der Charente. Freilich genügen jetzt Hölderlin im Gegensatz zu den frühen Elegien ganz wenig äußere Elemente: der Adler schwingt sich von ihnen auf zu raumüberfliegender Gesamtschau, bringt in fabulöser Geographie Hesperien und Kolonien, Indien, Kaukasus, Orient und Okzident zusammen. Die Spuren verwirren sich für uns, der Flug selber ermattet, sinkt ab – doch von ›vaterländischer Kehre und Bekehrung‹ gerade in jener Zeit zu sprechen, wo Hölderlins Weltfahrt beginnt, überträgt modernes nationalistisches Denken auf einen Dichter, der wie alle europäischen Dichter des 18. Jahrhunderts der Heimat ganz selbstverständlich zugehörte und ebenso selbstverständlich Kosmopolit war; den es aus der Enge immer wieder in die Weite zog und der, kaum draußen, zurückstrebte in die ver-

16 Über Claude Lorrain als lothringischen Bauernsohn in Italien, cf. den schönen Text von Maurice Barrès in *Le Mystère en pleine lumière*, 1926.

traute Nähe, wie es ihn im Geist nach Griechenland und dem Orient trieb und wieder heim ins Vaterland. Die drohende Vergewaltigung des Vaterlands durch den neuen Cäsar tat ein Übriges, ohne daß Hölderlin nun für immer das ›heilig Herz der Völker‹ sakralisiert hätte – sein Blick für den barbarischen Untergrund im Menschen und im Deutschen hat sich im Gegenteil noch geschärft: diese elementare Dialektik übersehen zu wollen, heißt ihn von vornherein verfälschen.[17]

Für die Germanisten der Hohenzollernzeit war die Französische Revolution Massenhysterie, die in ebenso blutiger Militärdiktatur endete. Ein äußerst komplexes Gebilde wurde auf die simpelste Formel gebracht, die reale Einheit zerstört, auseinandergerissen die Dioskurenpaare rechts und links vom Rhein: enthusiastische Männer der Tat auf der einen Seite, Dichterdenker auf der andern; beide derselben Wurzel entsprungen, der ungeheuren gedanklichen Vorarbeit des ganzen 18. Jahrhunderts. Die Parole Vernunft, Freiheit, Reich Gottes deckt sich mit den Proklamationen der Menschenrechte, dem bürgerlichen Gesetzbuch und der messianischen Erwartung der Revolutionäre in den großen Gestalten des Anfangs. Daß sie Opfer wurden – Opfer ihrer Feinde und ihrer selbst, verbissen in gegenseitigen Kampf um die Realisierung der großen Utopie –, hat auch Hölderlin mit zum Opfer gemacht. Nicht länger konnte er das Heil vom Weimarer Klassizismus erwarten noch von jenem deutschen Idealismus schlechthin, den die späteren Forscher so dreist-naiv als positive Aufbauarbeit des Geistes gegenüber der revolutionären Destruktion in den Himmel erhoben und von der Kuppel des Bismarckreiches gottesfürchtig überwölben ließen.

Das Reich Bismarcks ist genauso schnell ein Trümmerfeld geworden wie das Reich der Revolution und Napoleons I.

17 Gegen die These von der ›vaterländischen Umkehr‹ cf. neben Adorno, W. Broecker, W. Hof, L. Ryan u. a. auch P. Szondi, *Hölderlin-Studien*, 1967, S. 91 sq.

Was den deutschen Idealismus betrifft, so haben sich seine Väter und Söhne, Brüder und Vettern mit der gleichen Erbitterung verfeindet, verleumdet, bis aufs Blut bekämpft wie die sich selbst verzehrenden Giganten der Französischen Revolution: ein geistiges Waterloo, die Truppen der Klassik wie der Romantik verfemt und versprengt. Hölderlin im Turm, mit grausamer Unmenschlichkeit von den Erzfreunden Hegel und Schelling längst aufgegeben, als noch gar nichts aufzugeben war; Hegel und Schelling ihrerseits in Fehden verstrickt, die übers Grab des einen hinausreichen, als Schelling, der 1842 die Berliner Universität vom Pestodem der Hegelschen Philosophie reinigen wollte, mit dem Hegelverehrer Paulus, einem anderen achtzigjährigen Stiftler, in einen wüsten Ringkampf geriet, der an das keuchende Ringen der beiden alten Bauern auf der Brücke in Kellers Romeo und Julia erinnert. Dahin war es gekommen mit der Fraternitas von 1792. »Unter wilde Tiere bin ich geraten, in ein Hetztheater bin ich eingeschlossen«, hatte schon Valentin Andreae, der Verfasser der ersten großen schwäbischen Fraternitas, am Schluß seines Lebens als Hofprediger in Stuttgart gejammert.

Hölderlin war unter den Tritt der braunen Marschkolonnen geraten. Hanns Johst rezitierte ekstatisch dem sogenannten Führer am 50. Geburtstag Teile aus dem ›Hyperion‹.

Ein großer, bedächtiger Gelehrter – H. A. Korff – widmete noch 1940 den dritten Band seiner ›Goethezeit‹ den ›Helden unseres Freiheitskampfes am Tag der Einnahme von Paris 14. Juni 1940‹ mit dem anschließenden Hölderlin-Zitat: »Die Schlacht ist unser; / nun freuest, mein Vaterland, / Der stolzen Jugend dich denn / Herrlich hubst du sie an.«[18]

In einem verstiegen simplifizierenden Sinn hatte schon die Jugendbewegung Hölderlin als deutschen Parsifal und Gegenstück zum Bamberger Reiter hingestellt und nach 1914

18 H. A. Korff: *Geist der Goethezeit*, Bd. 3, 1940, Vorspruch und Widmung.

als Bruder von Rilkes Cornet. Der Soldatentod Norbert von
Hellingraths – eines genialen Georgeschülers wie Gundolf –
und die zahllosen andern heroischen Opfer auf dem Schlachtfeld erklären die affektgeladene Vehemenz der Identifikation
mit dem Kämpfer für Deutschland. Stefan George selbst hat
nach 1918 sein Hölderlinbild im Sinn vaterländischer Erneuerung durch Blut, Opfertod und elitäres Führertum wei-
tergestaltet bis zu einer gefährlichen Grenzscheide hin, die
nach 1933 massiv und skrupellos von andern überschritten
wurde. Am Ende des Teufelskreises stand 1943 der Klump-
füßige als Schirmherr der Hölderlin-Gesellschaft.

Und wenn der Dichter »ungezählten Ungenannten oder auch
Bekannten« ein Helfer gegen die Zeit wurde und dem George-
Schüler Graf Stauffenberg zuletzt die Waffe in die Hand
gab – wie viele sahen nichts, hörten nichts, ließen Bücher verbrennen, Juden verbrennen, eine ganze Kultur abbauen und
schwelgten in Hölderlin.

Ein führender Philosoph war vorangegangen mit wieder-
holten, ausführlichen, rückhaltlosen Bekenntnissen zum Führer, die nicht nur politisches, sondern geistiges und sprach-
liches Engagement sind. Derselbe Mann, dessen Philosophie
wie keine andere vom Wort her lebt, hat nie das geringste
Wort an seinen Auslassungen auch nur zu erklären für nötig
erachtet, wohl aber aus früher Enttäuschung über die Politik
sich in philosophierende Poetik geflüchtet und dabei das
gleiche autokratische Denkschema auf Hölderlin übertragen.
Wo 1933/34 »der Führer selbst und allein als die heutige und
künftige deutsche Wirklichkeit und ihr Gesetz« gegolten hatte,
wo nicht länger – predigte Heidegger den Studenten und ver-
führte sie damit – »Lehrsätze und Ideen die Regel des politischen Seins bleiben durften, sondern schicksalhafte Hingabe
an den Führer«, war seit 1936 Hölderlin zum alleinigen
deutschen, ja abendländischen Geistesführer aufgewachsen,
der aus der Seinsentfremdung durch die Vernunft zu den
Ursprüngen zurückführe und »dessen Denken anfänglicher

und deshalb zukünftiger (sei) als das blasse Weltbürgertum Goethes«.[19]

Die eigene Fehlleistung der vaterländischen Kehre wurde in den Dichter projiziert, das ›Einfache‹ scheinbar zeitlos gemacht und dabei oft genug in zeitgebundenem Sinn mystisch umrankt, in einer aufdringlichen und dumpfen, Wortschollen zusammenkläubelnden Sprache verschwarzwäldert, wie einst im Manifest über Schlageter. Verschwunden die Sonne, der Äther, das lautere himmlische Licht rinnend vom offenen Himmel, »Suevien, . . . der Schwester Lombarda drüben gleich, von hundert Bächen durchflossen«.

Selbst wenn wir an den Philosophen höchste Maßstäbe anlegen wollten – wir tun es nicht –, bliebe die Erkenntnis: Hölderlin, von Fichte interpretiert, wäre vergewaltigter Hölderlin.

Der Feind der Priester war in die Hände der Hohepriester gefallen. Innerhalb eines halben Jahrhunderts ist Hölderlin sakralisiert und zugleich Ware geworden, kämpferisch untermalt zur Zeit von ›Mein Kampf‹, schicksalhaft auswattiert seither. Literaturgeschichten für Schule und Bürgerhaus haben den Kriegsschmuck stillschweigend abgelegt, walten als Raumpflegerinnen – Hölderlin, Rilke, Trakl ihre Lieblings-

19 H. J. Schrimpf: *Hölderlin, Heidegger und die Literaturwissenschaft* (in: *Euphorion*, 51, 1957, S. 308–323). Sehr kritische Haltung. – Vorwiegend positiv hingegen Alessandro Pellegrini: *Friedrich Hölderlin* (o. c., deutsche Ausgabe 1965, S. 205–228; S. 543–547), wo am Schluß Heideggers Hölderlin geradezu als der Gipfel der gesamten Hölderlin-Forschung gefeiert wird. – Die von der deutschen Hölderlin-Gesellschaft 1953 veröffentlichte *Hölderlin-Bibliographie 1938–1953* bietet zahlreiche Belege für die Nazifizierung des Dichters als ›Künders der völkischen Erneuerung‹. Die Stimmlage dieser Texte gibt Hermann Pongs an in seinem Aufsatz: ›*Einwirkungen Hölderlins auf die deutsche Dichtung seit der Jahrhundertwende*‹ (*Iduna*, 1944): »Das Reine als bestimmende Gegenkraft zum Sog des Abgrunds« (S. 127). Das Reine wurde dabei zugleich mit Hölderlin und Hitler identifiziert. – Daneben aber läßt sich ebenso eindeutig schon an den Titeln ein paar anderer Hölderlin-Arbeiten aus jener Zeit der versteckte Widerstand ablesen.

objekte. Schopenhauer, Heine müßten in diese Salbadereien vernichtend dazwischenfahren. Aber was kennt der Schüler von Schopenhauer, was kennt er gar von Heine, dem ersten großen Dichter des Industriezeitalters, dem Meister des ›Romanzero‹, dem Verfasser des ersten grandiosen Kulturgemäldes der Goethezeit, verspielt heiter und prophetisch Abgründe der kommenden Barbarei anleuchtend; seinen Namen zu nennen, profaniert schon das Heiligtum, als ob nicht Aristophanes auch zur griechischen Literatur gehörte wie Voltaire, Swift zur französischen und englischen. Sie bleiben das Gegengift gegen die Opiate einer mißbrauchten Innerlichkeit — wie Heinrich Mann und wie Alfred Döblin, der schon auf dem Berliner Gymnasium den ›Hyperion‹ in zerlesenen Reclambändchen mit sich herumtrug, in der Pariser Emigration als erstes Elegien Hölderlins vorlas und dessen immer noch verkannte hymnische Romane ohne Hölderlin überhaupt nicht zu denken sind. Daß schließlich gewisse Aspekte des ›Hyperion‹ und des ›Empedokles‹ von der scharfsinnigen Marxschen Studie über den ›Achtzehnten Brumaire des Louis Bonaparte‹ her besser zu verstehen sind als von rein schöngeistigen Erörterungen oder gar von Wagners Mythologien, weiß heute auch die Hölderlin-Forschung.

Sie reduzierte sich nie auf die Auswucherungen. Selbst zur Zeit der Richter und Henker lief daneben immer eine ganz andere Art der Betrachtung weiter, deren Faktizität schon Wohltat, deren ruhiges Abwägen Protest war. Nach dem Krieg haben die Studien und Meditationen sich gehäuft und auf die Welt übergegriffen. Endlose Streitgespräche haben sich zuweilen erhoben, bei denen viel Spreu flog, aber auch fundamentale Erkenntnisse über die Besonderheit des dichterischen Wortes zutage traten.

Aus dem Zusammenspiel zwischen einer Hölderlin-Kritik, die die Texte gesichtet, ergründet und in große Zusammenhänge gebettet hat, und Hölderlin-Lesern von hohem Anspruch ist das Bild des Dichters zur Entfaltung gekommen.

Deutschland hat mit ihm den Weg zu langverschütteter eigener Tradition gefunden und den Pionieren der gesamten neueren Lyrik – Baudelaire, Mallarmé, Rimbaud – einen Ahnherrn gegeben.

Begeisterung, bohrende Treue, kritischer Verstand haben das Wiedersehen in Falun zustande gebracht. Was reif in diesen Zeilen stand, speist heut Zehntausende in der Welt.

Über eine Randfigur bei Fontane[1]

Dem Andenken Eduard Sprangers

Beim Durchblättern des ›Stechlin‹ blieb der Blick an einer Stelle haften, die sich in ihrer Unscheinbarkeit bald als erstaunlich aufschlußreich erwies und in die Mitte einiger Probleme führen dürfte.

Hausbesitzer Schickedanz hat ein letztes Gespräch mit seiner Frau.

»Riekchen, sei ruhig, Jeder muß. Ein Testament hab ich nicht gemacht. Es gibt doch bloß immer Zank und Streit. Auf meinem Schreibtisch liegt ein Briefbogen, drauf hab ich alles Nötige geschrieben. Viel wichtiger ist mir das mit dem Haus. Du mußt es behalten, damit die Leute sagen können: ›Da wohnt Frau Schickedanz.‹ Hausname, Straßenname, das ist überhaupt das Beste. Straßenname dauert noch länger als Denkmal.«

»Gott, Schickedanz, sprich nicht soviel; es strengt dich an. Ich will es ja heilig halten, schon aus Liebe . . .«

»Das ist recht, Riekchen. Ja, du warst immer eine gute Frau, wenn wir auch keine Nachfolge gehabt haben. Aber darum bitte ich dich, vergiß nie, daß es meine Puppe war. Du darfst bloß vornehme Leute nehmen; reiche Leute, die bloß reich sind, nimm nicht; die quengeln bloß und schlagen große Haken in die Türfüllung und hängen eine Schaukel dran. Überhaupt, wenn es sein kann, keine Kinder. Hartwigen unten mußt du behalten; er ist eigentlich ein Klugschmus, aber die Frau ist gut. Und der kleine Rudolf, mein Patenkind, wenn er ein Jahr alt wird, soll er hundert Taler kriegen. Taler, nicht Mark. Und der Schullehrer in Kaputt soll auch hundert

1 Umgearbeitete und stark erweiterte Fassung des Beitrags *Schein und Sein bei Theodor Fontane* (in: *Erziehung zur Menschlichkeit*, Festschrift für Eduard Spranger, 1957, S. 421–426).

Taler kriegen. Der wird sich wundern. Aber darauf freu ich mich schon. Und auf dem Invalidenkirchhof will ich begraben sein, wenn es irgend geht. Invalide ist doch eigentlich jeder. Und Anno siebzig war ich doch auch mit Liebesgaben bis dicht an den Feind, trotzdem Luchterhand immer sagte: ›Nicht so nah 'ran.‹ Sei freundlich gegen die Leute und nicht zu sparsam (du bist ein bißchen zu sparsam), und bewahre mir einen Platz in deinem Herzen. Denn treu warst du, das sagt mir eine innere Stimme.«[2]

Sterbeszenen fehlen bei Fontane nicht – die junge Effi Briest, der alte Stechlin und manch andre, darunter Selbstmörder wie Schach von Wuthenow. Kein Vergleich allerdings mit dem Totentanz, der das Werk Thomas Manns diskret, ironisch und schonungslos durchzieht: man denkt an die gotischen Fresken und Tafelbilder Lübecks. Den Untergang haben diese Schiffsherren in ihren weitläufigen, schwankenden Beruf stets einkalkuliert.

Mit Fontane kehren wir von Thomas Buddenbrook zu Johann zurück. Es war mehr Pläsierliches in dieser Generation; etwas Unhastenderes. Man ließ sich Zeit. Die ›Buddenbrooks‹ wurden mit knapp fünfundzwanzig Jahren geschrieben; der ›Stechlin‹ mit bald achtzig. Herbstkräftig die gedämpfte Welt. Freilich raschelt es, die Schatten fallen herein, ›und ist nichts in Sicht geblieben, / als der letzte dunkle Punkt‹. Aber es fehlt das Ziehende, moorig Lauernde, das Todessüchtige der geheimen Wasser, das von Storm und Jens Peter Jacobsen bis zu Thomas Mann immer raffiniertere Formen annimmt.

Märkisch-preußischer Boden fest unter den Füßen. »Riekchen, sei ruhig, Jeder muß.« Ein ehernes, aber schlichtes Wort, ohne das aufwühlende Hin und Her von Beethovens Selbst-Dialog: »Muß es seyn? – Es muß seyn!« Zelter wiederholte sein »Jeder muß« dem Weimarer Freund in den schweren Krisen, und Goethe schöpfte neue Kraft aus der phlegmati-

2 Zitiert nach der Ausgabe bei S. Fischer, 1920, Kapitel XII, S. 141.

schen Bestimmtheit des Maurerlehrlings, der es zum General-
musikdirektor gebracht hatte, wie der Ziegelstreichersohn
Schickedanz aus dem Dorf Kaputt bei Potsdam zum Berliner
Hausbesitzer.

Schickedanz aus Kaputt! Der schnurrige Name existiert, Fontane hat ihn des Effekts wegen leicht stilisiert: das Dorf heißt
Caputh. Schickedanz quittiert die Witzeleien über den Geburtsort und betrachtet mit Behagen den Weg, den er zurück-
gelegt. Über das Omen des Nomens hat der Wille triumphiert
und das Schicksal den Rest getan. Der einstige Hilfsschreiber
einer Hagelversicherungsgesellschaft ist aus eigener Kraft zum
Versicherungssekretär aufgestiegen und bis zu seinem fünfzig-
jährigen Dienstjubiläum der Firma treu geblieben, obwohl er
in den letzten sechs Jahren seines Lebens zweimal hinter-
einander das große Los gewonnen hatte und damit ein Uni-
kum unter seinen Kollegen, eine Respektsperson, ein Hausbesitzer geworden war. Von der schmalgehaltenen, mit Titel
abgespeisten Beamtenschaft hat er zum Besitzbürgertum hin-
übergewechselt. Unter seinen Mietern am Kronprinzenufer
ist die gräfliche Familie Barby, deren Tochter Armgard den
jungen Stechlin heiraten wird – die einzige ›Handlung‹ im
ganzen Roman.

Wir stehen in den Gründerjahren; doch weht eine andere
Luft als in Stindes ›Familie Buchholz‹ oder in Sudermanns
›Ehre‹. Der Sparschatz von Humanität war noch nicht auf-
gezehrt, auch nicht verniedlicht zur betriebsam schwirrenden
Sentimentalität Leberecht Hühnchens, dessen einer Fuß mehr
im mecklenburgischen Geburtsort Perlin steht als der andere
in Berlin. ›Jeder muß‹: Kantischer Imperativ, das Sich-Fügen,
der angeborene Sinn für Disziplin. Aber der Gegenklang ist
auch da, er lockert fontanisch die Härte: ›Invalide ist doch
eigentlich jeder.‹ Das Gebot der Haltung wird gemildert durch
das Wissen um die Hinfälligkeit der Kreatur. In den Gesang-
buchversen des Berliner Diakonus Paul Gerhardt steht es
nicht anders.

Gutes und weniger Gutes mischt sich bei Schickedanz. Er hat bescheidene Anlagen zum Heros und eine entschiedene Neigung, die eigenen Meriten herauszustreichen; aber noch ohne den bierkehligen Stammtischpatriotismus der kommenden Zeiten. Alles mit Maß. Selbst der Unteroffizier oder Feldwebel mahnte im Siebziger Krieg: »Nicht so nah an den Feind ran mit Liebesgaben, Schickedanz!«

Auch die Tugend bleibt maßvoll. Dem Patenkind vermacht Schickedanz 100 Taler und schärft der Frau ein: Taler, nicht Mark. Doch findet Kinderliebe ihre naturgegebene Grenze beim Hausbesitzer: Ehepaare mit Kindern werden, wenn es sein kann, freundlich, aber bestimmt zurückgewiesen. 100 andere Taler fallen an den alten Lehrer in Kaputt. Der Stolz, Mäzen zu spielen, posthum als großer Mann des Dorfes gefeiert zu werden, wird im voraus genossen, versüßt die bittere Pille des Sterbens. Auf der anderen Seite bleibt zu buchen das Gefühl der Dankbarkeit, der Anhänglichkeit an den Mann, der den Jungen gefördert hatte; dazu der später verlorengegangene Respekt des ökonomischen Typus vor dem Wissen, auch wo es nichts einbringt. Es ist noch die Zeit, die den Schulmeister ehrte und ihm die Siege zwischen 60 und 70 gutschrieb.

Überall geht es um das Gediegene und Beständige, um jenes Solide, Massive, Reelle, das Hegel 50 Jahre zuvor als Kern seiner Philosophie ausbaute eben in der Stadt Franz Krügers und Karl Blechens, Schadows und Schinkels, der Stadt des Brandenburger Tors, des alten Museums, des Schauspielhauses. Der Klassizismus gab sich hier frugaler als im heimatlichen Schwaben; das Denken war ohne die bohrende Hintergründigkeit, die am Neckar auch beim Bauern zu finden ist, während der Beamte an der Spree leicht eintrocknet in der kategorischen Nüchternheit des Erzberliners Nicolai. Gemeinsam bleibt ihnen die Absage an alle Windbeutel und Klugschmuse.

Auf den Gegensatz zwischen Sein und Schein laufen die Romane Fontanes hinaus. Schickedanz weiß, daß »reiche Leute nicht ohne weiteres auch vornehme Leute« sind. Noch apodiktischer heißt es: »Hausname, Straßenname, das ist überhaupt das Beste. Straßenname dauert noch länger als Denkmal.« Das könnte von Glasbrenner sein, in Kalischs ›Gebildetem Husknecht‹ oder in Angelys ›Dachdecker‹ stehen; auch in Tiecks ›Phantasus‹, wo die romantischen Ausschweifungen immer wieder durch grundgescheite Berliner Einwände zur Räson gebracht werden. Aus Andersens ironisch gewürzten, dänischen Märchen klingt es verwandt herüber: ›Vergoldung vergeht, Schweinsleder besteht‹. ›Testament bringt bloß Zank und Streit‹ und ›Invalide ist doch eigentlich jeder‹, heißen die andern Kernsprüche. Sie ziehen das Fazit eines Lebens. Der Text ruht auf solcher Art von Quadern; sie verleihen ihm seine Statik. Nichts Säulenhaftes dabei, keine thronende Feierlichkeit, wie sie sich bei Ernst Jüngers Sentenzen leicht einstellt. Die Sprache ist gelöst und setzt sich ungezwungen in Handlung um. Eine der Aussagen haben wir eben verfälscht, indem wir sie zusammenrafften. Im Text heißt es: »Du darfst bloß vornehme Leute nehmen; reiche Leute, die bloß reich sind, nimm nicht; die quengeln bloß und schlagen große Haken in die Türfüllung und hängen eine Schaukel dran.« Der Satz springt wie ein reifer Apfel vom Stamm und die Lehre fällt mit in den Schoß. Das neudeutsche Gehabe ist durch das eine Bild fixiert. Und die Frau horcht auf vor so drastischen Konsequenzen. Vergessen wir nicht, daß es sich um einen Dialog handelt, kein Selbstgespräch, Schickedanz hat freilich den Löwenanteil. Mit dem wogenden Busen der Aufregung kann die Frau nur lamentieren, nicht räsonieren. »Sei ruhig, Riekchen. Jeder muß.« Augenblickswallungen hingegeben, läßt sie sich vielleicht einmal zum Hausverkauf beschwatzen. Er appelliert an ihre Eitelkeit: »Da wohnt Frau Schickedanz«, soll man immer sagen können. Sie fällt erst ein, als er den Gedanken zur Maxime über Denkmal und Haus weiter ausspinnt. Maximen mögen ihr gegen den Strich gehen: »Gott, Schickedanz, sprich nicht so viel; es strengt dich an. Ich will ja alles heilig halten, schon aus Liebe.«

Sie wird Wort halten und nach seinem Tod die Trauer zum Kult steigern. »Die Vormittagsstunden jedes Tages gehörten dem hohen Palisanderschrank, drin die Jubiläumsgeschenke wohlgeordnet standen ... darunter ein Oreiller mit dem Eisernen Kreuz und einem angehefteten Gedicht, von einem Damenkomitee herrührend, in dessen Auftrag er, Schickedanz, die Liebesgaben bis vor Paris gebracht hatte.«[3] Der ehemaligen Weißzeugnäherin aus einer Dachstube erscheint das eigene Leben märchenhaft; seit Schickedanzens sozialem Aufstieg rangiert sie sich unter die Geld-, ja Geburtsgrößen und ist – eine andere Jenny Treibel – ehrlich empört, als ihm zum Dienstjubiläum kein Orden verliehen wird: »Gott, er hat doch immer so treu gewählt.«

Schickedanz schraubt den Aufwand der Gefühle kritisch herunter. Eine gute Frau, gewiß; Kinder hat sie ihm freilich nicht geboren (verschämter und großzügiger sagt er: »Wir haben keine Nachfolge gehabt«). Immer wieder die Gefahr, daß sie sich von Äußerlichkeiten verlocken läßt, auf den Schein hereinfällt, den Kern übersieht, am falschen Ort verschwendet oder knikkerig wird. Zusammenfassend: »Sei freundlich gegen die Leute und nicht zu sparsam (du bist ein bißchen zu sparsam) – und bewahre mir einen Platz in deinem Herzen.«

Damit ist er nun selbst in eine hochtrabende Floskel verfallen – eine Replik auf ihre »heiligen Gefühle«, die zum erstaunlichen Abschluß führt: »Denn treu warst du, das sagt mir eine innere Stimme.« Läßt Treue sich beweisen? Die »innere Stimme« muß dafür sorgen – aber mit ihrer Anrufung rückt sich der Sprecher selbst in die Distanz einer leisen Komik: denn die »kleine, winzige Frau« als Herzensbrecherin sich vorzustellen, ist ebenso schnakisch wie der Dialog des nüchternen Berliner Immobilienbesitzers mit seiner »inneren Stimme«.

3 *Der Stechlin,* ibid., S. 143.

Der Schwebezustand zwischen Gefühlswallung und diskreter Ironie ist durchgehalten wie später beim Tod des alten Stechlin. Der Unterschied liegt im Duktus der Rede. Statt des anspielungsreich verschlungenen, oft weitausholenden, nüancierten Konversationstons des Landedelmannes werden hier kurze Sätze aneinandergereiht, knappe Redewendungen, in ihrer Drastik dem Volk abgehorcht. »Fontane gibt die Quintessenz der Alltagssprache, sie unmerklich stilisierend«, schrieb schon Spielhagen.[4]

Die Schickedanz-Szene mag auf den ersten Blick hin als Füllsel erscheinen. Aber gerade durch die Häufung solcher Episoden schafft Fontane den Eindruck einer zugleich geschlossenen und sehr vollständigen Welt, die prall bis an den Rand mit Wirklichkeit erfüllt ist.

Mit Wirklichkeit? Sagen wir vorerst: mit fontanescher Wirklichkeit. Selbst Schickedanz trägt Züge des Dichters. Seine ganze Wesensart spiegelt schwach, aber unverkennbar diejenige seines Schöpfers wider. Die Übersiedlung aus der Provinz in die Großstadt; die karge Laufbahn und der Glücksfall des späten Aufstiegs zum Dichterruhm; das Angenehme der Ehrungen mit dem Blick für ihre Nichtigkeit; ein maßvoller Sinn für das Heroische bei stetem Dringen auf das Reelle, Solide; eheliche Verbundenheit, durchgehalten bei allem Wissen um die unbequemen Gegensätze; diskrete Zurechtweisung der Frau mit dem engeren Horizont und der etwas aufsässigen Knauserigkeit; zum Schluß gerührtes Lob ihrer Treue, doch nicht ohne halb-ironische Zwischenbemerkungen.

Bis in Geringfügigkeiten geht die Angleichung an den Dichter: so ist die Versicherungsgesellschaft, der Schikedanz angehört, eine deutsch-englische, wie Fontane selbst der England-Korrespondent deutscher Blätter gewesen war. Und die

4 Zitiert in der fundierten und aufhellenden Studie von Peter Demetz: *Formen des Realismus: Theodor Fontane*, 1964, S. 133.

Glanzzeit des Helden bricht mit 60 Jahren an, als er das große Los gewonnen hat, wie der Dichter, als ihm mit den Romanen endlich der Eintritt in die große Literatur gelungen war.

Schickedanz interessiert uns, weil sich geradezu exemplarisch an ihm verfolgen läßt, wie der Autor selbst seine Nebenpersonen sich anverwandelte und damit dasselbe tat, was er Gottfried Keller vorgeworfen hatte: die »ganze Gotteswelt seinem eigenen, besonderen Keller-Ton zu überliefern«. Thomas Mann schon hat darauf hingewiesen, daß erst ein solcher Ton – bei Keller wie bei Fontane – die Geschlossenheit des Kunstwerkes sichtert.[5] »Der Künstler«, schreibt André Malraux, »wird als Gefangener eines Stils geboren, der ihm erlaubt, nicht mehr von dieser Welt zu sein.« Die Summierung der einzelnen Posten ergibt den Gesamteffekt. Die strukturelle Rechtfertigung Schickedanzens besteht in seiner diskreten Doppelgängerrolle des alten Stechlin.

Ist eine so durchweg fontanesierte Gestalt aber noch typisch für den Berliner Kleinbürger, den sie darstellen soll? Mit dem gleichen Recht hat man fragen können: Sind preußische Leutnants je so anmutigen Geistes gewesen, wie Rex und Czako im ›Stechlin‹? Ist die bescheiden zurückhaltende, menschlich warme Unterhaltung des Leutnants Botho von Rienäcker mit den Gärtnersfrauen und Pförtnerinnen aus ›Irrungen Wirrungen‹, sind selbst die wohlgesetzten Reden des Kommerzienrats Treibel ›wirklichkeitsgetreu‹? Jedes Kunstwerk ist durch seinen besonderen Ton an eine bestimmte Stromstärke angeschlossen; schaltet man auf eine andere Stärke um, funktioniert der Apparat nicht mehr. Fontane hat ein ebenso optimistisches Bild des Berliners hingestellt wie Maupassant ein pessimistisches der Bauern und Bürger aus der Normandie. Die soziale Wirklichkeit nach diesen Idealtypen beurteilen zu wollen, fordert die präzise

5 Thomas Mann: *Rede und Antwort*, 1922, mit drei großen Studien über Theodor Fontane.

Einstellung ganz besonderer Meßgeräte. Mit dem Hinweis auf die Autonomie des ästhetischen Gebildes lehnen die Literaturhistoriker meist zu schroff die Frage nach dem Wirklichkeitsgehalt ab (die nazistische Vernebelung der Germanistik hing sehr eng mit ihrem kritiklos abstrahierten Idealbild Deutschlands zusammen). Die Soziologen ihrerseits machen ebenso einseitig aus dem möglichst genauen Zusammenfallen von zeitgeschichtlicher und dichterischer Wirklichkeit die Grundlage ihres Interesses an einem Kunstwerk. Fontane belehrt uns darüber, wie vielschichtig das Problem ist.

Die Auflehnung der Expressionisten gegen ihn bildet selber ein zeitbedingtes Phänomen. Statt der preußischen Siege von Düppel, Königgrätz und Vionville bestimmten Krieg und Niederlage von 1914/18 den Horizont dieser Generation. In der aufgewühlten und auch technisch aus den Fugen gehobenen Zeit konnte der junge Gottfried Benn einem Richard Dehmel längere literarische Wirksamkeit prophezeien als Fontane, »den man bald nur noch aus historischen und städtekundlichen Gründen lesen« werde.[6]

Alfred Döblin, ein anderer Berliner der neuen Generation, ließ sich ebenso kritisch vernehmen. »Nichts gegen Fontanes Darstellung; aber sie fließt bei ihm in das Urteil herüber wie guter Käse, saftig und ohne Teilstrich. In seinen Büchern steht wie in wenig andern die Urteilsfärbung voran; er erfüllt die Breite seiner Romane mit dem behaglichen Überlegenheitsgefühl, der Delikatesse, dem Spaß am Berlinischen. Wie er die Großstadt nicht gesehen hat und sie verplaudert, hat er die starken, ja gefährlichen Erscheinungen der märkischen Rasse nicht gesehen und sie verplaudert.«[7]

›Berlin-Alexanderplatz‹ hat die schonungslos hämmernde Realität hereingeholt, wo Fontane noch mit diskreter Hum-

6 G. Benn: *Ausdruckswelt*, 1949, S. 81.
7 Linke Poot (Pseudonym für A. Döblin): *Der Deutsche Maskenball*, 1921, S. 94.

54

boldt-Humanität übergoldete. Doch keinen Bruch in der Entwicklung bedeutet Döblins Roman und noch weniger eine Schutthalde, eine »satanische Auflehnung«, wie es nach 1933 hieß, sondern ein Zurück zu einer tiefer wühlenden Tradition, ein Zurück zu Kleist, zu seinem Einkrallen in das harte Sein und dessen visionärer Überhöhung. Und doch wäre der ›Alexanderplatz‹ kein Berliner Roman, wenn nicht auch in ihm fontanesche Elemente durchschimmerten.

»Wach sein, wach sein, es geht was vor in der Welt«, heißt es im letzten Kapitel, wo der Held, der Transportarbeiter Franz Biberkopf, wie zu Beginn wieder am Alex steht, »sehr verändert, ramponiert, aber doch zurechtgebogen ... Die Welt ist nicht aus Zucker gemacht. Wenn ich marschieren soll, muß ich das nachher mit dem Kopf bezahlen, was andere sich ausgedacht haben. Dem Menschen ist gegeben die Vernunft. Darum rechne ich erst alles nach, und wenn es soweit ist und mir paßt, werde ich mich danach richten.« Schickedanz hätte aus dem Jenseits zugestimmt.

Maß, Vernunft, Recht stellen die gestörte Ordnung wieder her. Auch bei Gottfried Benn, als er erst einmal die Berliner Lyrik durch den harmlosen Tunnel hin zu Baudelaire und Rimbaud vorgetrieben, dann durch den Expressionismus geschleust hatte, bleibt als Grundakkord: Zucht und Form.

Ein bestimmter Berliner Plauderton hat in der Lyrik Benns die gleiche revolutionäre, desillusionierende Funktion wie in Heines Gedichten und Fontanes Gesellschaftsromanen.

> »In meinem Elternhaus hingen keine Gainsboroughs
> wurde auch kein Chopin gespielt,
> ganz amusisches Gedankenleben
> mein Vater einmal im Theater gewesen
> Anfang des Jahrhunderts
> Wildenbruchs ›Haubenlerche‹
> davon zehrten wir
> das war alles.«[8]

8 G. Benn: *Gesammelte Gedichte*, 1956, S. 355.

Das ist aus der gleichen Atmosphäre entstanden und gestaltet wie unzählige Prosaseiten Fontanes. Fontanesch schon der Titel: ›Teils – teils‹; fontanesch im Rhythmus und in der resignierenden Lebensweisheit ein anderes Gedicht Benns, ›Reisen‹, mit der berühmten Anfangsstrophe:

> »Meinen Sie Zürich zum Beispiel
> sei eine tiefere Stadt
> wo man Wunder und Weihen
> immer als Inhalt hat?«

und dem Schluß:

> »Ach, vergeblich das Fahren!
> Spät erst erfahren Sie sich:
> bleiben und stille bewahren
> das sich umgrenzende Ich.«[9]

Wie Verwandtschaftszüge im Alter plötzlich auch physiognomisch hervortreten, so eine innere Verwandtschaft des gealterten Benn mit dem alten Fontane. Benns letzte Lyrik ist auf den gleichen Ton abgestimmt wie die seines Vorgängers.

Fontane:

> »Halte dich still, halte dich stumm,
> Nur nicht fragen warum, warum?«

Benn:

> »Wisse das alles, und trage die Stunde«
> . . . »Bis sich die Reime schließen,
> die sich der Vers erfand,
> und Stein und Graben fließen
> in das weite, graue Land.«[10]

Fontane: *Ausgang*

> »Immer enger, leise, leise,
> Ziehen sich die Lebenskreise . . .
> Und ist nichts in Sicht geblieben
> Als der letzte dunkle Punkt.«

9 ibid., S. 343.
10 G. Benn: ibid., S. 350 und S. 360. Fontane: *Gedichte,* hg. von W. Keitel, Hanser Verlag, München, 1964, S. 393.

Benn: *Der Dunkle*

> ». . . Und nun beginnt der enggezogene Kreis,
> Der trächtige, der tragische, der schnelle,
> Der von der großen Wiederholung weiß –
> Und nur der Dunkle harrt auf seiner Stelle.«[11]

Der ›Ptolemäer‹, der einstige scharfe Kritiker Fontanes, stellt sich zuletzt sogar blutmäßig in eine Reihe mit ihm: »In der Ehe meiner Eltern vereinigte sich das Germanische und das Romanische . . . die Mischung der Réfugiés: Fontane, Chamisso.«[12]

Die Mutter, eine Welschschweizerin, hatte das Kind mit französischen Wiegenliedern eingesungen, und der Spruch auf einem französischen Grabstein den Dichter lebenslang bis in den ›Epilog‹ der ›Gesammelten Gedichte‹ hinein fasziniert:

> »Ich habe ihn auch in dieses Buch versponnen,
> er stand auf einem Grab ›Tu sais – du weißt‹.«[13]

Fontanes Gedicht ›Leben‹:

> »Doch das Beste, was es sendet,
> Ist das Wissen, das es sendet,
> Ist der Ausgang, ist der Tod.«[14]

11 Fontane: o. c., S. 351. – Benn: o. c., S. 270. Vielleicht schwang bei Benn unter anderem auch der Rhythmus des berühmten Stormschen Gedichtes nach: *Beginn des Endes:* »Ein Punkt nur ist es, kaum ein Schmerz, / Nur ein Gefühl, empfunden eben . . .« Benn war für die Kantilene dieser Lyrik nicht unempfänglich (cf. über die Elisabethgedichte in *Immensee:* »Weich gespielt, aber immer noch hörbar«, *Prosa und Szenen,* S. 264). Der unterirdische Zusammenhang seiner Lyrik mit der bürgerlich-romantischen Tradition wird an solchen Stellen sichtbar.

12 Benn: *Doppelleben,* S. 17. Benn stammte durch seine Mutter nicht von Hugenotten im eigentlichen Sinne ab, sondern aus dem welschen Schweizer Jura. Thilo Koch zitiert in seinem Essay *Gottfried Benn,* 1957, Ausführungen des Zürcher Professors Woodtli über die ›jurassischen Eigenschaften‹ des Dichters – recht problematische Darlegungen wie alles, was das ›Bluterbe‹ betrifft.

13 Benn: *Gedichte,* o. c., S. 361.

14 Fontane: o. c., S. 392. Über das zweimalige ›sendet‹ cf. die aufschlußreiche Diskussion zwischen Th. Mann: *Rede und Antwort,* S. 113–117, und O. Pniower, der eine andere Fassung (»ist das Wissen, *daß es endet*«) vor-

Der Herausforderung des Schicksals gegenüber bleibt als einzige Haltung das stoische Sich-Fügen, die märkische Pflicht ohne Fragen, verstärkt durch die hugenottische Prädestination.

Benn:

>... die ewige Frage: Wozu?
... Das ist eine Kinderfrage.
Dir wurde erst spät bewußt,
es gibt nur eines: Ertrage
– Ob Sinn, ob Sucht, ob Sage –
dein fernbestimmtes: Du mußt.«[15]

>Fernbestimmt< – Ausdruck der neuen naturwissenschaftlich geformter Generation, assoziationsgeladen, die Gen-Reihen heraufbeschwörend, bei Fontane undenkbar. Aber wie die Mücke im Bernstein, das Fontane-Schickedanzsche Schlußwort: >Du mußt.<

Bei aller inhaltlichen Tangierung frappiert der Unterschied im Niveau. Gegenüber der gespeicherten Energie von Benns Lyrik wirken die Verse Fontanes etwas simpel und fahrig:

»Nur nicht bittere Fragen tauschen,
Antwort ist doch nur wie Meeresrauschen« –

das ist schwacher Nachklang Heines.

»Immer enger wollt ihr mich umziehn
mit Opium, Morphium, Kokain,
... Und doch ob Brom, ob Jod, ob Od,
Der Schmerz ist ewig wie der Tod« –[16]

– dünner Vorklang zu Benn.

Fontanes Domäne ist die Prosa. »Wie löst sich das Rätsel? Nie ...« – über dieses Thema sinnieren vor ihrem Tod Schach von Wuthenow und der alte Stechlin in einer Sprache voller Abschattungen und Zwischentöne, in einem wunderbar ge-

schlug. Belege hierzu in der Ausgabe der *Gedichte* durch W. Keitel, o. c., S. 993.

15 Benn: o. c., S. 358.

16 Fontane: o. c., S. 393 und S. 392 (>Dolor tyrannus<).

dämpften Ton, der mit den abrupten Ballungen von Benns Prosa schon in temperamentmäßigem Gegensatz steht und seinen Behorcher, Beklopfer und Nachfolger in Benns Antipoden, Thomas Mann, gefunden hat.

»Fontane wurde beruhigt durch die Geschichte, und die Geschichte beruhigte in seinen Augen alles.«[17] Das Fehlurteil Benns reiht sich an andere und wäre später vielleicht von ihm selber richtiggestellt worden. Auch hier hat die neue Epoche die früheren Generationen einander näher gerückt. Züge der Unruhe an Fontane sind uns heute bekannt geworden und haben der sozialen Spannweite seines Denkens und Schaffens eine neue Dimension gegeben.

Der Germanistik des Hohenzollernreichs war es platterdings unmöglich, im Verfasser der ›Märkischen Wanderungen‹ etwas anderes zu sehen als einen königs- und adelstreuen Verfechter der bestehenden Gesellschaftordnung. Die Ausgabe seiner Korrespondenz, vor allem der Briefe an Friedländer, 1953, hat dem pessimistischen Kulturkritiker nachträglich zum Wort verholfen und damit auch sein Gesamtbild leise und stetig verändert. Wieder frappiert die Nähe zum desillusionierten, alten Benn, der sehr bald über das zunächst rauschhaft zelebrierte Dritte Reich schrieb als einem Schmierentheater, das dauernd ›Faust‹ ankündige, aber die Besetzung lange nur für ›Husarenfieber‹ (an Ina Seidel, 1934).

»Hinter dem Berg wohnen noch andere Leute, ganz andere Leute«, heißt es im Stechlin. Und bei aller pläsierlichen Enge hat der Dichter das weite Feld des Hintergründigen nie aus dem Auge verloren. Der Brief an Friedländer vom 5. April 1897 bleibt eine der erstaunlichsten Prophezeiungen über den Todeskeim in der Gloria-Viktoria-Epoche, die mit Saus und Braus dem Untergang entgegensegelte. Was dem fast Achtzigjährigen am jungen Kaiser gefällt, ist der Bruch mit dem Alten, »mit der Ruppigkeit, der Popelichkeit, der spießbürgerlichen Sechsdreierwirtschaft der 1813er Epoche« – auch

17 Benn: *Ausdruckswelt*, 1949, S. 81. – *Briefe*, hg. Max Rychner, 1957.

Figuren wie Schickedanz sind hier visiert. Was ihn stört und verstört, ist, »daß das Neue mit ganz Altem besorgt werden soll, daß Modernes mit Rumpelkammerwaffen zusammengebracht wird . . .« Der Kaiser »will, wenn nicht das Unmögliche, so doch das Höchstgefährliche mit falscher Ausrüstung, mit unausreichenden Mitteln . . . was er vorhat, ist mit Waffen überhaupt nicht zu leisten. Die Rüstung muß fort und ganz andere Kräfte müssen an die Stelle treten: Geld, Klugheit, Begeisterung . . . Preußen – und mittelbar ganz Deutschland – krankt an unseren Ost-Elbiern. Über unseren Adel muß hinweggegangen werden; man kann ihn besuchen wie das ägyptische Museum und sich vor Ramses und Amenophis verneigen, aber das Land *ihm* zu Liebe regieren, in dem Wahn: dieser Adel sei das Land, das ist unser Unglück . . .«[18]

Wäre der Dichter in Fontane stark genug gewesen, diese Perspektive ins Werk zu übernehmen, statt sie vertraulich nebenher zu äußern – die Bismarckzeit hätte neben Wagner und Nietzsche ihren Epiker von Weltformat gehabt. Seinem Tonus und der Anlage nach war er aber so wenig wie Keller, Storm, Raabe und selbst C. F. Meyer zur dramatisch-visionären Gestaltung seiner Epoche im Sinn von Balzac, Dickens, Tolstoj oder gar Dostojewskij und Zola geschaffen.

Begnügen wir uns damit, im ›Stechlin‹, der so oft als altersschwach sich verzettelndes Werk beiseite geschoben wurde, einen großen und verschwiegenen politischen Roman zu erkennen. Die Vorstufe dazu bilden die ebensolang verkannten ›Poggenpuhls‹. Ihre Handlungslosigkeit erfüllt ein ästhetisches Gebot, sie entspricht der Zukunftslosigkeit einer Adelsfamilie, über die die Zeit bereits hinweggegangen ist wie über ihren ganzen Stand. »Was als kompositorisches Unvermögen bedauert wurde, entsprang visionären Einsichten«, bemerkt ein jüngerer Kritiker marxistischer Observanz, H. H. Reuter. Erst das Wagnis der Konfliktlosigkeit ermöglichte Fontane die analytische Klarheit und Reinheit im Herausarbeiten der

18 Th. Fontane: *Briefe an G. Friedländer*, hg. von Kurt Schreinert, 1953.

sozialen Verhängnissituation: »der geschichtliche Prozeß wurde zur eigentlichen Handlung.«[19]

Tschechovs ›Kirschgarten‹ stellt den untergehenden russischen Adel mit derselben atmosphärischen Eindringlichkeit auf die Bühne. Ist seine künstlerische Kraft größer gewesen, oder hat das Theater mit seiner verstärkten Resonanzmöglichkeit ihm zum Weltruhm verholfen, der Fontane bis heute versagt blieb? Die Frage sei wenigstens gestellt.

»In seinem ganzen Wesen war Fontane ein Kind jenes Mischreiches zwischen zwei Nationen, das nie auf der Karte, sondern nur ab und zu in einzelnen Gehirnen bestanden hat und dessen größter Vertreter Chamisso ist«, schrieb einmal – mit ungewohnter Feinheit – Bruno Wille.[20]

Im Gegensatz zu Chamisso, der als gebürtiger Franzose erst mit 9 Jahren nach Deutschland kam, ist es bei Fontane wie bei Gottfried Benn und vor ihnen bei den Brüdern Humboldt, La Motte-Fouqué, Alexis, Luise von François, E. Spranger und andern Nachkommen von Réfugiés unmöglich, den jeweiligen Anteil des ›Bluterbes‹ genau zu bestimmen. Unbestreitbar bleibt, daß diese hugenottischen ›Mischlinge‹ zum Salz der Literatur gehört haben. Ihre Vorfahren, die zeitweise 1/4 oder 1/5 der Berliner Bevölkerung bildeten, waren nicht als Fremdarbeiter zu Handlangerdiensten nach Preußen herbeigeströmt, sondern von zielbewußten Fürsten als Leiter der Industrie, des Handels, des Kriegswesens und der Kunst in ein technisch unterentwickeltes Land hereingeholt worden. Trotz des üblichen Connubiums untereinander und des noch zäheren Festhaltens an bestimmten Umgangsformen und Lebensregeln, war doch durch allmähliche Einheirat und den ständigen Kontakt mit der neuen Umwelt diese Minderheit sehr bald stark berolinisiert wor-

19 H. H. Reuter: *Die Poggenpuhls, zu Gehalt und Struktur des Gesellschaftsromanes bei Th. Fontane* (in der Zeitschrift: *Études germaniques*, Paris, 1965, S. 346–359).

20 B. Wille: *Das Gefängnis zum preußischen Adler*, 1914.

den.[21] Daß sich die Angleichung in ganz wenig Generationen hat vollziehen können, weist auf eine Verwandtschaft der Anlagen hin, die auch Fontane betont:

> »*Land*-Fremde waren wir, nicht *Herzens*-Fremde . . .
> Wohl pflegten wir das Eigne, der Gemeinde
> Gedeihn und Wachstum blieb Herzenssache,
> Doch nie vergaßen wir der Pflicht und Sorge,
> Daß, was nur *Teil* war, auch dem Ganzen diene.«

(›Zur Feier des 200jährigen Bestehens der französischen Kolonie in Brandenburg‹, 1885.)[22]

Die Züge der Besonnenheit, Tüchtigkeit, Ausdauer, ein gesunder Menschenverstand, der beim idealen Berliner mit Mutterwitz und Toleranz Hand in Hand geht und der selbst einen kleinen Mann wie Schickedanz in höherem Licht erscheinen läßt, bilden auch die Substanz der französischen Klassik bei Molière wie bei La Fontaine und La Bruyère: wiederum ein paar Namen auf hundert andere. Ohne das Pathos der europäischen Idee zu bemühen und jenseits aller hypothetischen Ahnenspekulation, treten hier gern übersehene innere Zusammenhänge hervor, die in dieser oder jener Mischung ihre Bewährungsprobe im Leben der verschiedenen Völker abgelegt haben.

Ist der erstaunliche Wiederaufbau Deutschlands – vom verschlungenen Kräftespiel der Fadenzieher abgesehen – nicht auch auf die Summierung zahlloser kleiner Schickedanzscher

21 Über das Problem der Angleichung cf. W. Hellpach: *Der deutsche Charakter*, 1954, S. 47 sq. – Eine der am besten dokumentierten Studien bleibt die weit zurückliegende Arbeit von P. Amann: *Fontane und sein französisches Erbe* (*Euphorion*, XXI). Fontane selbst führte seine musischen Züge auf die südfranzösische Abstammung zurück, obwohl weder väterlicher- noch mütterlicherseits dieses Erbteil unvermischt geblieben war. Amann bemerkt hierzu: »Die Familie Scherenberg bewies ihm, daß schon zwei Heiraten mit Damen der Kolonie genügten, um in eine nüchtern norddeutsche Kaufmannsfamilie bei der ganzen Deszendenz starke und mannigfaltige Künstlerneigungen hineinzutragen.« – E. Spranger: *Berliner Geist*, 1965.

22 Fontane: *Gedichte*, o.c., S. 535.

Qualitäten zurückzuführen? Damit hätten wir unsern Helden zuletzt doch noch auf ein Postament gestellt. Besser ein Denkmal als gar kein Haus. Und auf dem Denkmal der Wahlspruch: »Reiche Leute sind noch keine vornehmen Leute, sie quengeln bloß und schlagen große Haken in die Türfüllung und hängen eine Schaukel dran.«

Ein fontanescher Verweis an die Adresse jener, die in den überquellenden Komfort des Wirtschaftswunders hineinschaukeln und der Großmannssucht der Gründerjahre zu verfallen drohen, vor denen der Dichter als Prophet gewarnt hat.

Brecht und die wiedergefundene Großmutter

Bert Brecht hat die zwei letzten Jahre seiner Großmutter in einer Erzählung der ›Kalendergeschichten‹ unter dem Titel ›Die unwürdige Greisin‹ geschildert. Das Beiwort überrascht: man erwartet ›ehrwürdig‹ im Sinn der ehrwürdigen Matronen, wie ein anderer Schwarzwälder, Wilhelm Hausenstein, sie zur selben Zeit in seinen pastellzarten Kindheitserinnerungen wieder aufleben läßt. Unwürdig war Brechts Großmutter allerdings nur in den Augen ihrer Klasse, einer verhockten Kleinstadt-Bourgeoisie, gewesen. Sie hatte den Mut gehabt, mit diesem Milieu zu brechen. Ihre späte, aber exemplarische Bekehrung bildet den Inhalt der kurzen Geschichte.

Den Wendepunkt im Leben der Siebzigjährigen bildet der Tod des Gatten. Kaum ist er gestorben, vollzieht sich die Befreiung wie von selbst. Der Mann hatte Erfolg im Geschäftsleben gehabt, seine Lithographiewerkstatt florierte. Die beiden Töchter leben in Amerika. Einer der Söhne, der Vater Brechts, hat es zum Direktor einer Augsburger Papierfabrik gebracht. Heiter und ausgeglichen läßt er die Alte gewähren. Sein Bruder lehnt sich gegen sie auf, redet dazwischen, wird immer ausfälliger. Eingeengt lebt er in einer zu kleinen Wohnung mit einer zu großen Familie im selben Städtchen. Seine Buchdruckerei verkommt, seine Gesundheit verfällt. Die Mutter denkt nicht daran, ihm das geräumige Haus zu überlassen und sich aufs Altenteil zurückzuziehen. Ihre Besuche werden immer seltener, ihr Verhalten provokanter. Die ganze Stadt spricht davon: das Kino hat es der Alten angetan.

Ein zweifelhaftes Vergnügen vor 1914 und doppelt anfechtbar in einem Provinznest. »Die neue Kunst«, schreibt auch Sartre in seiner Autobiographie, »wurde in einer Räuberhöhle geboren und von den Behörden als Volksbelustigung registriert; sie gab sich betont vulgär, die manierlichen Leute schraken zurück ... Mein Großvater fragte: ›Na, Kinder, wo geht ihr denn hin?‹ ›Ins Kino‹, antwortete meine Mutter. Stirnrunzelnd und achselzuckend ließ er uns ziehen. Bei nächster Gelegenheit würde er zu seinem Freund Simonnot sagen: ›Sie sind doch ein vernünftiger Mensch, Simonnot, können *Sie* das verstehen? Meine Tochter geht mit meinem Enkel ins Kino!‹«[1] Brecht seinerseits notiert: »Eigentlich gingen nur Halbwüchsige hin oder, des Dunkels wegen, Liebespaare. Eine einzelne alte Frau mußte sicher dort auffallen.« – Sie fällt noch durch andere Absonderlichkeiten auf.

Die sparsame Hausfrau und perfekte Köchin speist jetzt jeden zweiten Tag in einem Restaurant und freundet sich dort mit einem einzigen Menschen an: dem Küchenmädchen, einer geistig zurückgebliebenen Person, die sie so oft wie möglich um sich hat, nach Hause einlädt und zu einem neuen Freund begleitet: einem Flickschuster, der als Trinker und Sozialdemokrat berüchtigt ist. Sein Laden in einer verrufenen Gasse gilt als Treffpunkt der Heruntergekommenen, der stellungslosen Dienstmädchen und verbummelten Handwerksgesellen. Man hält lange Reden, stößt miteinander an, spielt Karten, schmiedet Pläne. Die alte Dame hat ihren Stammplatz, ihr Trinkglas und ihre Weinflasche bei diesem Antipoden des mystischen Schuhmachers, den Wilhelm Raabe im ›Hungerpastor‹ heraufbeschwört und hinter dem als deutscher Archetyp Jakob Böhme steht. Brechts Handwerker hingegen ist dem politisierenden Schuhmacher verwandt, wie ihn Georges Duveau in der französischen Gesellschaft des 19. Jahrhunderts situiert: »Der Schuhmacher arbeitet in einer Atmosphäre relativer Freiheit, er teilt sich seinen Tageslauf nach eigenem Belieben ein, er kann lesen und nachdenken.

1 Revidierte und erweiterte Fassung des französischen Textes: *La grand'-mère retrouvée ou les origines souabes de Brecht* in der Zeitschrift *Études germaniques*, Mai 1965, S. 275–289. – Sartre über die ersten Kinos in: *Les mots*, Paris 1964.

Anderseits kommt er mit Leuten aus allen Ständen zusammen. Er ist in sich versponnen und steht zugleich in einem Netz von Beziehungen. Oft genug leidet er an körperlichen Gebrechen, ist bucklig, krummbeinig, hinkt... Nach dem Staatsstreich Napoleons III. im Dezember 1851 hatte man unter 27 000 Verhafteten 1107 Schuhmacher sistiert. Im Revolutionsrat der Pariser Kommune saßen fünf von ihrer Gilde. Der Schuhmacher bewegte sich ideologisch auf einem Kräftefeld, wo anarchistische Tradition, jakobinischer Radikalismus und marxistischer Sozialismus einander überschnitten und den einen in diese, den andern in jene Richtung drängten.«[2]

Der Schuhmacher Brechts wurzelt in der Überlieferung der Achtundvierziger, wie sie sich in Baden unter Handwerkern und Kleinbürgern lange erhalten hat. Nicht umsonst waren badische Möbeltischler des Faubourg Saint-Antoine in Paris beim Sturm auf die Bastille beteiligt gewesen. Die Beziehungen zum revolutionären Frankreich blieben intensiv bis zum Zusammenbruch des Aufstands von 1848/49; auch die Eingliederung ins Bismarckreich konnte sie nicht ganz verschütten.

Die alte Dame weigert sich, mit dem selbstgewählten Freundeskreis zu brechen. »Er hat etwas gesehen«, erwidert sie kurz angebunden jenen, die sie vor dem schwarzen Kumpan in seinem finsteren Laden warnen. Am Grab ihres Mannes sieht man sie so wenig wie in Kaffeegesellschaften. Dafür kommt es vor, daß sie an einem gewöhnlichen Wochentag eine Kutsche mietet und sich spazierenfahren läßt oder gar mit der Eisenbahn die großen Pferderennen besucht. Nach zwei Jahren einer solchen ›vita nuova‹ stirbt sie unvermittelt an einem Herbstnachmittag auf ihrem Holzstuhl am Fenster: das Küchenmädchen ist bei ihr. Zu erben gibt es wenig. Eine Hypothek lastete seit kurzem auf dem Haus. Das Geld davon war

2 Georges Duveau: *De 1848 à nos jours* (im Sammelwerk ›Histoire du peuple de France‹, hg. von L. H. Parias, 1953, Bd. IV, S. 159 ff.).

vermutlich auch dem Flickschuster zugute gekommen, der bald darauf in der Nachbarstadt ein Geschäft für Maßschuhe aufmacht. Zusätzlicher Beweis für die geistige Verwirrung der Greisin: Zeugen haben sie mehr als einmal dabei beobachtet, wie sie um drei Uhr morgens ihr Haus verließ und durch die leeren Straßen des Städtchens promenierte, »das sie so ganz allein für sich hatte«.

Die Erzählung Brechts ist trocken, knapp, genau im Detail. Die Diktion ist dieselbe wie in einem Gedicht über die Jugendjahre, das er kurz vor seinem Tod 1956 in Berlin schrieb:

>»Stehend an meinem Schreibpult
>Sehe ich durchs Fenster im Garten den Holunderstrauch
>Und erkenne darin etwas Rotes und Schwarzes
>Und erinnere mich plötzlich des Holders
>Meiner Kindheit in Augsburg.
>Mehrere Minuten erwäge ich
>Ganz ernsthaft, ob ich zum Tisch gehn soll
>Meine Brille holen, um wieder
>Die schwarzen Beeren an den roten Zweiglein zu sehen.«
>   (›Schwierige Zeiten‹)

Ein unsentimentaler Gang zu den Quellen der Vergangenheit wird auch in der Geschichte der Großmutter angetreten. Brecht stand in den Vierzigern, als er sie schrieb. Der Emigrant blickte zurück, maß den durchlaufenen Weg ab, forschte stärker nach den Ursprüngen. Die geistige Verwandtschaft mit der Großmutter muß ihn frappiert haben. Ein Vorläufer war entdeckt – oder annektiert.[3]

3 Porträt der Großmutter bei M. Kesting: *Brecht* (Rowohlt, 1959). Nicht zu verwechseln mit der Großmutter mütterlicherseits, geb. Friederike Brezing. Die Mutter des Vaters, Karoline Brecht, geb. Wurzel, starb zwei Jahre nach ihrem Gatten, wie in der Erzählung, aber mit 80 Jahren, nicht mit 72. Grundlegend bleibt, daß Brecht trotz solcher Verschiebungen und im Gegensatz zu anderen Kalendergeschichten von ihr im Ich-Ton als von seiner Großmutter berichtet. Aus inneren wie aus zeitlichen

Der Vater Brechts stammte aus dem badischen Städtchen Achern; die Großmutter ist dort 1919 zwei Jahre nach ihrem Mann gestorben. Die innere Wandlung des Dichters hatte damals schon eingesetzt. Ein Abgrund trennte ihn jetzt vom Sechzehnjährigen, der bei Ausbruch des Kriegs die Tugenden des Stahlbades in den ›Augsburger Nachrichten‹ verherrlicht und fast zwei Jahre lang diesen patriotischen Ton durchgehalten hatte.

»Ich bin aufgewachsen als Sohn / Wohlhabender Leute. Meine Eltern haben mir / Einen Kragen umgebunden und mich erzogen / In den Gewohnheiten des Bedientwerdens / Und unterrichtet in der Kunst des Befehlens«, wird er später schreiben. Der Matrosenkragen, den er auf den beiden Photos von 1902 und 1908 trägt, gleicht jenem Jean-Paul Sartres zur selben Zeit: eine bürgerliche Kennmarke zu beiden Seiten des Rheins.

Der Jüngling begehrt auf, verwirft die Welt der Väter und des Kriegs, wird um ein Haar wegen Defaitismus relegiert. Aus dem Komfort des bürgerlichen Heims hat er sich auf eine Mansarde zurückgezogen, sitzt in Kneipen mit anrüchiger Gesellschaft herum – Gesindel, Ganoven, sagen die Eltern. Zu Beginn seiner Laufbahn schlägt er den gleichen Weg ein wie die Großmutter am Ende ihres Lebens. Wiedergefundene Einheit! Beide Male führt der Weg zu denen, die unten gehalten werden und die dagegen rebellieren. Das Verhalten der Greisin entfremdet sie der Klasse der Besitzenden und bringt sie den Menschen wieder nahe. Als Gattin und Mutter war sie gesellschaftlichen Zwängen unterworfen gewesen, hatte eine vorgeschriebene Rolle zu spielen gehabt und gespielt. Endlich ist sie nur sie selber und wagt es zu sein. So Gründen erscheint die Hypothese von P. Demetz (*Die Zeit*, 1967, Nr. 32), B. habe das Thema aus Bechers *Abschied*, 1945, übernommen, höchst fragwürdig. – Der französische Film, den René Allio in freiem Anschluß an den Text gedreht hat, verfälscht ihn schon durch die Verlegung des Schauplatzes nach Marseille. Das Bohrende, Hintersinnige ist dem Charme und subtiler Munterkeit gewichen: die Sonne dringt in alle Winkel.

wenigstens sieht es nachträglich der Enkel. Ob freilich nicht auch ganz andere Motive mit im Spiel waren – Egozentrik und Exzentrik des Greisenalters, Härte gegenüber dem eigenen Sohn, rücksichtslose Lebensgier eines lang zurückgesetzten und gehemmten Menschen –, steht hier nicht zur Frage. Uns interessiert nur, daß Brecht sich in die Großmutter hinein projiziert, sie diskret als einen Pionier feiert und durch sie den Anschluß an die Familie wiederfindet – auf dem Umweg über eine Doppelrevolte im Familienhaus.

Die Schrecken des Krieges hatte Brecht 1918 während seiner kurzen Kriegsdienstzeit in einem Augsburger Seuchenlazarett kennengelernt. Der ›Totentanz‹ eines andern Augsburgers – Hans Holbein – wirkt gelassen stilisiert dem gegenüber, was der zwanzigjährige Medizinstudent hier zu sehen, zu betasten und zu riechen bekam und was von den ›Trommeln in der Nacht‹ bis zu ›Mutter Courage‹ und darüber hinaus seinen Werken den bluttriefenden Hintergrund gibt – eine wüst durcheinandergewirbelte Soldateska, sengend, hängend und zuletzt selber gehängt, Abschaum der Menschheit und Ausdruck der Menschheit, dargestellt mit der wild zupackenden und dreinschlagenden Treffsicherheit jener großen alemannischen Maler des 16. Jahrhunderts, die die rauhen Genossen der Berner Landsknechte auf ihren Kriegszügen durch halb Europa gewesen waren – Urs Graf, Manuel Deutsch.

Vierzehn Jahre nur trennen Brecht von Hofmannsthal, und doch trennt alles den Schwaben vom Wiener: Temperament, Herkunft, Welterleben. Mit der schwermütigen Herbststimmung des fin-de-siècle umspielen, umschmeicheln Hofmannsthals zaubervolle Verse das durch Schleier geahnte Elend der Welt:

> Manche freilich müssen drunten sterben,
> Wo die schweren Ruder der Schiffe streifen,
> Andre wohnen bei den Sternen droben,
> Kennen Vogelflug und die Länder der Sterne . . .

Die Antwort Brechts will ein Aufschrei der Wahrheit sein;
zerfetzt hängt der blasse Gobelin von der Wand herunter;
Risse und Sprünge, Salpeter dahinter:

> Die aber unten sind, werden unten gehalten,
> Damit die oben sind, oben bleiben,
> Und der Obrigen Niedrigkeit ist ohne Maß ...

Ein anderes Prunkstück der bürgerlichen Anthologien: Hofmannsthals melodische Strophe, deren letzten Nachhall Ca-
rossas Verse von den Wanderern am Brunnen bilden:

> Und dennoch sagt der viel, der Abend sagt,
> Ein Wort daraus Tiefsinn und Trauer rinnt,
> Wie schwerer Honig aus den Waben ...

Brechts klobige Entgegnung:

> Denn wer unten sagt, daß es einen Gott gibt,
> Und kann sein unsichtbar und hilft ihnen doch,
> Den soll man mit dem Kopf auf das Pflaster schlagen,
> Bis er verreckt ist ...

›Der Weg nach unten‹ – der Titel, den der Frühexpressionist
und dissidente Marxist Franz Jung 1961 seiner wenig bekannten, ätzend genauen Autobiographie gab, könnte auch
der gemeinsame Titel dieser Brechtschen Gedichte und seiner
Geschichte von der Großmutter sein. Der Weg *muß* nach
unten führen. Nur aus dem Schrecken und der Wahrheit dieses Unten kann er, wenn überhaupt, sich einmal nach oben
anbahnen.

In der traumhaft wiedergefundenen Sprache des alten Goethe
hatte der siebzehnjährige Hofmannsthal seine Gefühle,
Wünsche, Träume in den würdevollsten der Greise projiziert,
den hundertjährigen Tizian. Italien, seine Kunst, sein Luxus
sind allgegenwärtig im Werk des jungen Erben einer reichen
Wiener Familie. Italien fehlt im Werke Brechts, wenige Ausnahmen abgerechnet, darunter das ›Leben Galileis‹. Aber
›Galilei‹, das ist Rom, der Papst, die Inquisition, ist der
Kampf zwischen geistlicher und weltlicher Macht: ein Problem, das der selber triebhaft machtbesessene Dichter in dieser

besonderen Form der Auseinandersetzung seit der Kindheit aus der Nähe hatte beobachten können. Der ›Augsburger Religionsfriede‹ zwischen Katholiken und Protestanten im Heiligen Römischen Reich Deutscher Nation (1555) war zwar bald genug von allen Seiten durchlöchert worden. Mit einem Strom von Blut und Tränen hatte der Dreißigjährige Krieg das Pergament zuletzt fast unkenntlich gemacht. Der Not gehorchend und bis ins Mark geschwächt, war man darauf zurückgekommen und hatte so auch in Augsburg (wie im nahen Biberach Wielands und seiner Abderiten) das Gesetz der ›Parität‹ unter gegenseitigen Nadelstichen und verschrobenen Grenzstreitigkeiten zu wahren versucht.

Als Sohn eines katholischen Vaters war Brecht im protestantischen Glauben der Mutter erzogen worden und mit Bibel, Katechismus und lutherischen Kirchenliedern aufgewachsen. In produktiver Auseinandersetzung mit dem modernen Großstadtidiom bildet dieses Lutherdeutsch zusammen mit der schwäbisch-bayrischen Mundart der Donaustädte die Grundsubstanz von Brechts Dichtersprache, wie schon Walter Benjamin erkannt hat. Die Katholiken und ihre Bräuche lernte anderseits der junge Brecht im täglichen Umgang kennen, verspotten oder schätzen. Unvergeßlich blieb für ihn, daß der einzige Lehrer, der sich bedenkenlos vor den Gymnasiasten stellte, als er wegen Majestätsbeleidigung die Schule verlassen sollte, ein Benediktinerpater war. Dem zugeknöpften, engstirnigen Hofprediger-Protestantismus der Wilhelminischen Zeit gegenüber imponierte ihm der Universalismus der römischen Kirche. Er selbst hat sich einmal als den »letzten großen katholischen Schriftsteller« bezeichnet, – ein paradoxes Wort, in dem doch ein Stück Wahrheit steckt. Weit zurückliegende religiöse Einflüsse von beiden Konfessionen her haben – mit dem Langspeicherungseffekt der Jugendeindrücke – Brechts Welterleben bis in die Wort- und Bilderwahl hinein bestimmt. Auch die Großmutter hatte sich in einem tieferen religiösen Sinn von den Pharisäern ihrer Kaste den

Zöllnern und Sündern zugewandt als den wahren Erwählten des kommenden Reichs.

Ein Organ für die verfeinerte Lebensfreude und das dolce far niente der Mittelmeervölker scheint der Moralist und Puritaner Brecht kaum besessen zu haben. Römische Quadern und die schmucklose gedrungene Prosa der lateinischen Schriftsteller läßt er gelten.[4] Venedig, die Stadt von Richard Wagner und Maurice Barrès, d'Annunzio und Thomas Mann bleibt ihm fremd. Der Vorgang ist um so erstaunlicher, als Augsburgs Aufstieg und Verfall aufs engste mit den Geschicken der Stadtrepublik an der Adria verknüpft ist. Die robusten Emporkömmlinge der freien Reichsstadt hatten im Venedig des 15. und 16. Jahrhundertk die Praxis des Großhandels und des Geldverkehrs mit all seinen Raffinessen kennengelernt und bald darauf die Maler, die am Lech wie Pilze aus dem Boden schossen, den Glanz und silbernen Schimmer der neuen Farbgebung.

Kirchen, Paläste, das Rathaus und die großartigen Plätze mit den Götterfiguren auf ihren Erzbrunnen haben bis heute Augsburg den Stempel der Renaissance aufgedrückt. Die Weiträumigkeit frappiert im Gegensatz zum spitzgieblig verwinkelten Nürnberg; der freiere, südliche Atem weht herein. Ludwig Curtius, ein Zeitgenosse Brechts, erzählt, wie er auf dem Boden des alten augusteischen Kastells die Sehnsucht nach der Antike schon als Kind in sich aufgesogen habe. Der große Archäologe und ausgezeichnete Schriftsteller, Freund der römischen Kardinäle und Vertrauter der Wittelsbacher, stellte seine Lebenserinnerungen unter den Anruf einer Großmutter, einer bayrischen Bauersfrau voll heiterem Selbstbewußtsein und angeborener Würde, Lust an Menschen und Tieren, Farben und Blumen.

Ein ganz anderer Typ als die badisch-alemannische Großmutter Brechts, die das Schwabenalter längst überschritten

4 Über Brechts Interesse für die Cäsarenzeit cf. Hans Mayer: *B. Brecht und die Tradition*, 1961, S. 91.

hatte, als sie den Weg zu sich und der Welt fand. Auch Brecht hat mit dem bayrischen Landvolk wenig zu tun. Maßgebend bleibt für ihn das mehr oder weniger proletarisierte Volk der Augsburger Alt- und Vorstadt – ein realistischer, derbsinnlicher, etwas hinterhältiger und leicht aufsässiger Menschenschlag, der es gelernt hatte, den Großen in die Karten zu schauen, die Faust im Sack machte und den schwäbischen Hang zur Didaktik und Schulmeisterei nicht verleugnete. Mochte Augsburg auch seinen Rang verloren haben, seit Amsterdam Venedig abgelöst und der Atlantik das Mittelmeer entthront hatte: etwas vom Stolz der freien Reichsstadt lebte auch in den kleinen Werkstätten der Handwerker weiter, bei den Gerbern, Webern, Brauern längs dem Lech und jenen Binnenkanälen und Wassergräben, deren Geruch zu den ältesten Erinnerungen des Dichters gehört.

›Stadtluft macht frei‹: politische wie religiöse Agitatoren hatten seit langem den Spruch hier bestätigt gefunden. Die freien Städte an der Donau und am Rhein waren Zufluchtsorte für Häretiker aller Art geworden. Zu Luthers Zeiten hatte Sebastian Franck in Ulm und in Basel seine ›Chroniken‹, seine ›Paradoxa‹, seine ›Deutschen Sprichwörter‹ geschrieben und gedruckt, die Brecht durch ihre gedrungene Sprache und die Radikalität ihres Denkens oft so nahe kommen. In Augsburg und in Ulm hatte ein anderer Schwabe, Schubart, nach seiner Entlassung aus dem württembergischen Hofdienst seine ›Deutsche Chronik‹ (1774–77) erscheinen lassen – ein revolutionäres Blatt, dessen Resonanz in Deutschland so stark war, daß der Herzog Karl-Eugen keinen andern Weg sah, als den Verfasser entführen und auf der schwäbischen Bastille, dem Asperg, einkerkern zu lassen.

Die dramatische Ballade von der schönen Agnes Bernauer, der Augsburger Barbierstochter, die ein bayerischer Erbprinz heiratete und die der Herzog ertränken ließ, ist der Typ jenes anklägerischen Volkslieds, dessen Tradition Brecht wieder aufnahm, indem er gärenden Wein in die alten Schläuche

füllte. Er trat damit in schneidenden Gegensatz zum kunst-
voll aufpolierten, politisch verharmlosten Volkslied des
›Zupfgeigenhansls‹, jenes Breviers der Wandervögel, das Hans
Breuer 1910 in Heidelberg herausgab und das eine Millionen-
auflage erreichen sollte. Hundert Jahre zuvor schon hatten
Arnim und Brentano in ihrem Heidelbergischen ›Wunder-
horn‹ die gleiche Umbiegung vorgenommen, als sie ›Zu Straßburg auf der Schanz‹ nicht in den wozzekischen Aufschrei
ausklingen ließen: Unser Corporal, der gestrenge Mann / Ist
meines Todes Schuld daran: / Den klag ich an!, sondern in
die zeitentrückte melodische Klage: Das Alphorn hat mir's
angetan. Das Volkslied der Jugendbewegung ist darum nicht
weniger politisiert, nur spiegelt es den Konformismus des
bürgerlichen Geistes der Hohenzollernzeit wider, der in Natur und Vergangenheit ausschwärmte und im öffentlichen Leben Ruhe als die erste Bürgerpflicht ansah. Brecht kann sich
auf andere Ahnen berufen. Über Heine, John Gay und François Villon reichen sie bis zum großen chinesischen Volks-
dichter des 9. Jahrhunderts, Po-Chü-yi, hinauf.
Unmittelbare Vorbilder hatte der Münchener Philologie- und
Medizinstudent, der eifrige Besucher von Arthur Kutschers
Theaterseminar, beim hintersinnigen Volkskomiker Karl Valentin und beim scharf antibürgerlichen Dramatiker und
Chansonnier Frank Wedekind gefunden. Aber Wedekind
schrieb für ein raffiniertes Schwabinger Publikum und doku-
mentierte zuletzt ungewollt seine Verbundenheit mit der
herrschenden Klasse im Schauspiel ›Bismarck‹ von 1916, einer
lauten Verherrlichung des starken Mannes. Brecht hatte damals die politisch-soziale Kehrtwendung vollzogen, Kaiser-
treue und Hurrapatriotismus seiner Anfänge revidiert und
verworfen. Als ein Karl Moor der Augsburger Unterwelt
trug er Balladen und Moritaten schärfsten Kalibers zur
Klampfe in Spelunken und Kaschemmen vor. Das kleine
Volk, das da herumsaß und zustimmte, ist identisch mit
jenem, das Brecht auch im London der ›Dreigroschenoper‹

und im Prag des ›Soldaten Schwejk‹ sinnieren, raunzen und randalieren läßt. Über sein eigenes Theater schreibt er rückblickend: »Die Einflüsse der Augsburger Vorstadt müssen wohl auch erwähnt werden. Ich besuchte häufig den alljährlichen Herbstplärrer, einen Schaubudenjahrmarkt auf dem ›kleinen Exerzierplatz‹ mit der Musik vieler Karusselle und Panoramen, die krude Bilder zeigten wie ›Die Erschießung des Anarchisten Ferrer zu Madrid‹ oder ›Nero betrachtet den Brand Roms‹ oder ›Die Bayerischen Löwen erstürmen die Düppeler Schanzen‹ oder ›Flucht Karls des Kühnen nach der Schlacht bei Murten‹. Ich erinnere mich an das Pferd Karls des Kühnen. Es hatte enorme, erschrockene Augen, als fühle es die Schrecken der historischen Situation.«

Idealisieren wir das Bild nicht. Schubart schon war 1774 entsetzt gewesen über »alles Schiefe, Widerwärtige, Dumpfe, Steife und Unangenehme, das den Fremden beim ersten Anblick in Augsburg anekelt«.[5] Und als blutjunger Theaterkritiker tobte Brecht sich im Augsburger ›Volkswillen‹, wo er nach einem nicht ganz klaren politisch-revolutionären Zwischenspiel untergekommen war, bis an die Grenze von Beleidigungsprozessen gegen die sture Verhocktheit der Provinz aus. In Berlin aber, zu dessen systematischer Eroberung er 1922 auszog und wo er sich 1924 ganz niederließ, trat er betont als Schwabe von der Donau auf: zäh, grob, hellhörig und scharfzüngig, mit Behagen ungeschliffen und schlecht gewaschen, geizig wie ein Spießbürger, in kahlen Zimmern an der derben Heimatküche festhaltend, provokanter Asket und Genießer in einem. So Högel und Münsterer, seine Jugendfreunde. So seine Berliner Bekannten: »Da standen oben . . . die gewaltigen Leiber einer Agnes Straub und eines Heinrich

---

5 *Schubarts Leben und Gesinnungen,* Stuttgart 1793, 2. Teil, S. 15. Wie es durch den politisch-sozialen Verfall und die religiöse ›Parität‹ zu dieser ›toten Kleinstädterei‹ hatte kommen können, analysiert der Chronist eingehend. Er selber aber schätzte die ›Biederherzigkeit‹ seiner dortigen Freunde.

George ... und herein kam dieser dünne, kaum mittelgroße Augsburger und sagte ihnen, dürr und präzise artikulierend, daß alles, was sie machten, Sch ... wäre« (Arnolt Bronnen). »Das Seltsamste: eine schäbige kleine Drahtbrille, wie man sie in Berlin gar nicht mehr bekam. Sie hätte zu einem Schulmeister in Wunsiedel gepaßt. Mit großer Sorgfalt zog er sie aus dem Futteral, wenn er lesen wollte, stülpte sie über die Ohren, und versorgte sie nachher ebenso sorgfältig wieder in seiner Brusttasche« (Willy Haas).[6]

Als Ingenieur Kaspar Pröckl läßt ihn ein anderer Freund, Lion Feuchtwanger, im Münchener Schlüsselroman ›Erfolg‹ auftreten und Bänkelgesänge mit dem Banjo in feudale Herrenzimmer schleudern. Wie der Bundschuh das Wahrzeichen der revolutionären Bauern am Oberrhein zur Zeit Luthers gewesen war, so Brechts auffällige Kleidung als eine Art Elektromonteur mit Ledermütze und Lederjoppe: statt des ›ewig zeitlosen Bauern‹, wie die Heimatliteratur ihn gerade damals mystifizierend als Vorbild hinstellte, der wahre Mensch der Masse und Typ des Arbeiters im technischen Zeitalter.

Wiederum stand Augsburg im Hintergrund. Die Handels- und Finanzmetropole, die einst Kaiser und Päpste gemacht und gestürzt hatte, war nach langer Versumpfung zum Wiederaufstieg bereit. Der Übergang von der handwerklichen zur industriellen Produktion bahnt sich am Ende des 18. Jahrhunderts an, als die ersten Fabriken für Druckstoffe ihre Tore öffnen. Die Arbeitskräfte waren da; sie lagen nur brach. Daß auch Cotta, der Tübinger Verleger Goethes und Schillers, seine neugegründete Tageszeitung hier erscheinen ließ, hängt mit einer anderen Augsburger Tradition zusammen: der de-

6 M. Högel: *Brecht* (Augsburg, 1962). – H. O. Münsterer: *Brecht 1917–22* (Zürich, 1963). Weitere bibliographische Angaben bei R. Grimm: *Brecht*, 1961. Das Zitat von Bronnen nach M. Kesting: *Brecht*, 1959. Ferner wichtige Hinweise bei Dieter Schmidt: *Baal und der junge Brecht*, 1966, der auch die Legende vom Medizinstudium in München berichtigt.

mokratischen. Von der württembergischen Zensur bedroht, wie einst Schubart, weicht Cotta mit der Zeitung in die ehemaligen Reichsstädte an Donau und Lech aus: nach Ulm 1803, nach Augsburg 1810. Durch Napoleon war Augsburg kurz zuvor an Bayern gekommen: zäher als das neuwürttembergische Ulm wußte die Stadt am Lech ihre Privilegien zu wahren. Auch ethnisch hat sich bis mindestens zu Beginn unseres Jahrhunderts der schwäbische Grundstock gegen die Zugewanderten gehalten und diese unter ein paar Zugeständnissen (darunter bayrischen Einsprengseln im Dialekt) mit der Beharrlichkeit des Daseienden assimiliert. Im heruntergekommenen Landnest leitete Cottas ›Augsburger Allgemeine‹ den großen Neubeginn ein als ein Blatt von Weltruf und Tribüne des freisinnigen europäischen Bürgertums, deren Korrespondenten sich aus der Elite des Kontinents rekrutierten. Die Modernisierung der Produktionsmittel ließ nicht auf sich warten.

1824 wurde eine mechanische Presse in Betrieb genommen – die erste auf dem Festland nach London. 1840 geht man zur eigenen Herstellung von Dampfmaschinen über. Seit 1864 steht die Augsburger Maschinenfabrik von Heinrich Buz mit ihren Spitzenleistungen da, ruft Tochtergesellschaften ins Leben oder provoziert Konkurrenzunternehmen. Die Arbeitskräfte werden systematisch auf der Technischen Hochschule herangebildet: Lerntrieb und Rechenhaftigkeit des Menschenschlags, wie Theodor Heuss es in seiner Bosch-Biographie nennt, waren ein dankbarer Boden. Aus Paris, wo er geboren war, kommt der junge Rudolf Diesel in die Heimat der Eltern zurück, absolviert ein paar Jahre auf dem Technikum, an dem sein Onkel Mathematik lehrte, und läßt sich 1893 endgültig in der Stadt nieder, die ihm ideale Bedingungen für die Herstellung seines Motors zu bieten schien.[7] Fünf Jahre später wird Bert Brecht in einer ebenfalls 1893 zugewanderten Familie von Technikern geboren: der Groß-

[7] Biographie seines Sohnes Eugen Diesel: *Rudolf Diesel*, 1937.

vater hatte eine lithographische Anstalt am Oberrhein betrieben; der Vater bringt es in Augsburg vom kaufmännischen Angestellten zum Leiter einer Papierfabrik; der Bruder wird später Professor für Technologie des Papiers an der Technischen Hochschule in Darmstadt. Literatur auf ihren Gebrauchswert zu untersuchen, den Zusammenhängen zwischen Inspiration und Ware nachzuspüren, war für Brecht eine Selbstverständlichkeit. Er stellte sich damit nicht außerhalb der Dichtung: er stellte die Dichtung wieder in die Zeit. Die Mutation der Epoche hatte er von Kindesbeinen an mitgemacht und ist dadurch zu einem der wenigen volkstümlichen Dichter geworden, dessen Volksbegriff nichts mit Volkstümelei oder gar rassischen Phantasmen zu tun hatte, sondern vom Volk von heute, dem realen Industrievolk her erlebt war. Der Schwarzwald ragt aus der Ferne in die Stadt hinein.

Ich, Bertolt Brecht, bin aus den schwarzen Wäldern,
Meine Mutter trug mich in die Städte hinein,
Als ich in ihrem Leibe lag. Und die Kälte der Wälder
Wird in mir bis zu meinem Absterben sein . . .,

heißt der Anfang eines berühmten Gedichts. Bündig schreibt er anderswo: »Ich bin Schwarzwälder von Vater und Mutter her.« Ganz wörtlich ist das nicht zu nehmen. Die väterliche Familie entstammt der badischen Rheinebene, wo die Großmutter in einem Landstädtchen sich ihre Extravaganzen hatte leisten können. Die Familie der Mutter kommt aus Rossberg bei Waldsee, einem Dorf im oberen Donaugebiet. Damit entfernen wir uns vom Schwarzwald, stellen aber unerwartet eine Verbindung zwischen Brecht und einem andern massiv imperatorischen Schwaben her, der neun Jahre früher in Meßkirch am Fuß des Heubergs, rund 80 Kilometer von Rossberg, zur Welt gekommen war: Martin Heidegger. Die Rolle, die die Mutter in seinem Leben und Denken gespielt haben mag, läßt sich aus den autobiographisch fundierten oder getönten Stellen des ›Feldwegs‹, der ›Holzwege‹ und anderer Schriften der letzten Zeit ablesen. Mütter sind für Heidegger immer Bäuerinnen, und die Bäuerin ist Urmutter schlechthin. So im Passus über die Schuhe einer Bäuerin auf einem der braun-schwärzlichen Frühbilder von van Gogh: »Aus der dunklen Öffnung des ausgetretenen Inwendigen des Schuhzeugs starrt die Mühsal der Arbeitsschritte. In der derbgediegenen Schwere des Schuhzeugs ist aufgestaut die Zähigkeit des langsamen Gangs durch die weithin gestreckten und immer gleichen Furchen des Ackers, über dem ein rauher Wind steht. Unter den Sohlen schiebt sich hin die Einsamkeit des Feldweges durch den sinkenden Abend. In dem Schuhzeug schwingt der verschwiegene Zuruf der Erde, ihr stilles Verschenken des reifenden Korns und ihr ungeklärtes Sichversagen in der öden Brache des winterlichen Feldes ... Zur Erde gehört dieses Zeug und in der Welt der Bäuerin ist es behütet.«[8]

Auch bei Brecht fällt der Frau und Mutter eine leidende und erlösende Mission zu: so in den frühen Dramen des Gymnasiasten, so im ›Kreidekreis‹ und in ›Mutter Courage‹. Aber zwischen der Bäuerin Heideggers, die vorbildlich der Scholle verbunden bleibt, und den heldenhaften Frauen Brechts, die die Welt durchstreifen, besteht ein grundsätzlicher Unterschied. Gang zu den Müttern bedeutet für den Meßkircher Denker Abstieg in die Tiefe, zum Jungbrunnen des ewigen Volks, der Muttersprache und des bäurischen Brauchtums, das, von der modernen Apparatur bedroht, in seiner Reinheit, Wucht und urtümlichen Größe verklärt wird.

Der Bürgerschicht, nicht dem Bauerntum gehörte Brechts Großmutter an. Sie findet den Weg zur Wahrheit nicht durch Rückkehr zur Tradition, sondern durch den Bruch mit ihr. Sie steigt zu den Deklassierten hinab und dringt damit zur gesellschaftlichen Wirklichkeit vor. ›Im Provokatorischen sehen wir die Realität wieder hergestellt‹, heißt eine Maxime von Brecht. Der Mythos vom ›ewigen Volk‹ fällt als Golem in sich zusammen. Es bleiben – wie schon zu Jesu Zeiten –

8 M. Heidegger: *Holzwege*, 1950, S. 22/23.

Ausbeuter und Ausgebeutete. Entlarvung der schöngeisternden Mystifikationen, in deren Schatten die Ausbeutung nur um so gründlicher und schamloser vor sich gehen kann, wird zu einer Hauptaufgabe des Dichters.

Die ›Kalendergeschichten‹ sind in diesem Sinn als ›aufklärend‹ gedacht. Sie führen das Programm weiter, das Johann Peter Hebel, der Wiedererwecker der deutschen Kalendergeschichte unter der Französischen Revolution und Napoleon, ihnen angewiesen hatte: Kampf gegen Weltverfinsterung im Namen der Menschenfreundlichkeit und mit den Mitteln scheinbar ganz schlichter Erzählungen, die aber ›Handorakel der Lebensklugheit für kleine Leute‹, wie Ernst Bloch schreibt, und noch mehr sind: Widerspiegelung der geschichtlichen Situation, in die der Einzelne sich gestellt sieht und in der er zu wählen hat.

Hebel ist durch die Mutter ein Badener vom Oberrhein, wie Brecht durch den Vater. Hinter beiden steht der Schöpfer der oberrheinischen Kalendergeschichte im 17. Jahrhundert: Grimmelshausen. Die Wildheit, der barocke Furor und Impetus, den Brecht in der ›Mutter Courage‹ von ihm übernommen hatte, ist in den ›Kalendergeschichten‹ einem parlando von klassischer Einfachheit gewichen. Wie Hebel, geht Brecht von Mundart und Umgangssprache aus; schon der Titel der ersten Geschichte, ›Der Augsburgische Kreidekreis‹, weist auf die Heimatstadt zurück. Aber während beflissene Hebel-Imitatoren wie Wilhelm Schäfer die Sprache als ›saftig kernhafte Volkssprache‹ zum Selbstzweck werden lassen und der innere Schauplatz bei ihnen zusammenschrumpft, aufs deutschtümelnd Nationale und Lokale sich einengt, geht bei Brecht und Hebel in jeder Zeile ein Geist der Kritik um, der nichts unbesehen läßt, sondern wie Herr Keuner aus den ›Flüchtlingsgesprächen‹ alles unauffällig und genau befühlt, betastet, im Namen der Vernunft untersucht und mit dem Weltgewissen konfrontiert.

Brechts Tonfall ist allerdings entschieden schwäbischer, das heißt härter als der des badischen Vorgängers, doppelbödig, voll dialektischer Schliche und Pfiffe, deren Virtuosität die Zucht Hegels erkennen lassen und die zugleich so schlitzohrig augsburgisch sind, als wäre man, wie einst Schubart, wie Sebastian Franck in den niedrigen Wirtsstuben beim kleinen Volk in seiner Derbheit, anrempelnden Widerspenstigkeit und hintergründigen Weltweisheit.

Hegel verfügt über den gleichen scharfen Blick und die gleiche scharfe Zunge. In den Stuttgarter Schenken und Tübinger Gogenwirtschaften hat auch der schwäbische Kameralbeamten-Sohn dem Volk aufs Maul geschaut: das stramme vivace, mit dem er in seiner Abhandlung ›Wer denkt abstrakt?‹[9] eine Hökersfrau über Bürgersfrauen und ihre Großmütter sprechen läßt, kommt sprachlich Brecht ebenso nahe, wie es der getragenen Feierlichkeit von Heideggers Beschwörungen fern steht: »Ihre Eier sind faul!, sagte die Einkäuferin zur Hökersfrau. Was – entgegnet diese – meine Eier faul? Sie mag mir faul sein! Sie soll mir das von meinen Eiern sagen? Haben ihren Vater nicht die Läuse auf der Landstraße aufgefressen, ist nicht ihre Mutter mit den Franzosen fortgelaufen, und ihre Großmutter im Spital gestorben, – schaff' sie sich für ihr Flitterhalstuch ein ganzes Hemde an, man weiß wohl, wo sie dieses Halstuch und ihre Mützen her hat; wenn die Offiziere nicht wären, wär' jetzt Manche nicht so geputzt, und wenn die gnädigen Frauen mehr auf ihre Haushaltungen sähen, säße Manche im Stockhause, – flick' sie sich nur die Löcher in den Strümpfen. Kurz, sie läßt keinen guten Faden an ihr. Sie denkt abstrakt und subsumiert jene nach Halstuch, Mütze, Hemde usw., wie nach den Fingern und anderen Parthien, auch nach Vater und der ganzen Sippschaft, ganz allein unter das Verbrechen, daß sie die Eier faul gefunden hat. Alles an ihr ist durch und durch von diesen faulen Eiern gefärbt, da hingegen jene Offiziere, von

9 Sämtl. Werke, hg. Fromann, 1930, Bd. XX, S. 445–450.

denen die Hökersfrau sprach, – wenn anders, wie sehr zu zweifeln, etwas daran ist – ganz andere Dinge an ihr zu sehen bekommen haben mögen.«

Nicht ohne Grund hat Brecht seinen Platz auf dem Friedhof in der Nähe von Hegel ausgesucht. Die beiden Schwaben können über ihre Gräber in Berlin hinweg Flüchtlingsgespräche führen. Aus taktischen Gründen hatte der eine wie der andere sich hier zeitweise in den Dienst einer Staatsapparatur gestellt. Versteckte Ausgangstüren blieben dabei überall offen: das zeigen schon die Kalendergeschichten, das zeigt auch ›die unwürdige Greisin‹.

Ihr später Aufbruch zum eigenen Ich und damit zur eigentlichen Welt erweist sich als durchgehendes Leitbild des Dichters. Die Großmutter ist eine Grundfigur, deren männliches Gegenstück schon im nachfolgenden Text hervortritt, einem der klassischen Gedichte Brechts, das meist aus diesem Zusammenhang gelöst wird: ›Legende von der Entstehung des Buches Taoteking auf dem Wege des Laotse in die Emigration.‹ »Meine Großmutter war zweiundsiebzig Jahre alt, als mein Großvater starb«, hatte die erste Geschichte begonnen. »Als er siebzig war und war gebrechlich«, beginnt die andere. Auch der alte Weltweise verläßt über Nacht sein Haus, seine Freunde und Gewohnheiten, vertraut sich einem Knaben an, der den Ochsen aus dem geknechteten Land über die Berge in eine bessere Gegend führen soll, setzt sich beim Grenzübergang sieben Tage in der Stube des Zöllners nieder wie die Großmutter im Hinterzimmer des Flickschusters und schreibt dort in einundachtzig Sprüchen die Summe seiner Welterkenntnis auf. Hieronymus weltabgezogen in der Zelle? Keineswegs: erst der Anruf von außen und von unten hatte die Quelle zum Springen gebracht. »Aber rühmen wir nicht nur den Weisen, / Dessen Name auf dem Buche prangt! / Denn man muß dem Weisen seine Weisheit erst entreißen. / Darum sei der Zöllner auch bedankt: / Er hat sie ihm abverlangt.« Zöllner, Schuster und das kleine Volk der Augsburger oder

Berliner Kneipen – Sünder und Sauerteig einer besseren Welt.

Ihre Sendboten dringen selbst in die Zelle ein, wo der alte Galilei gefangen sitzt. Die Einkreisung des universalen Geistes durch Mächte von oben, mit denen er breitspurig und gerissen glaubte fertig zu werden und die ihn mundtot machen, endet mit dem gleichen Ausblick auf den Umschwung durch Kräfte von draußen und drunten, die die Botschaft erhalten und verstanden haben und sie in Tat umsetzen.

Auch in diesem dramatischen Lehrstück, einer Illustration zu Schillers Bühne als moralischer Anstalt, frappiert die großangelegte Klassizität, das Durchhalten einer von allen Wucherungen befreiten Grundlinie. Vielleicht ist es nicht zu gewagt, in dieser Phase von Brechts Entwicklung auf die kompositorische Kraft, Klarheit und ausströmende Ruhe von Hans Holbeins großen Gemälden anzuspielen. Ein Porträt wie ›Die beiden Gesandten‹ fände vom Stoff wie von der Technik her seinen Platz im beruhigten Renaissancedekor des ›Galilei‹. Die Inszenierungen des Berliner Ensembles, in denen alles im Hinblick aufs Ganze angelegt war, nicht auf Detaileffekte, sind vom gleichen Stilwillen diktiert.

Die Kunsthistoriker haben seit langem den Katalog der verschiedenen ›Formdialekte‹ aufgestellt und darauf hingewiesen, daß im Umkreis von Ulm und Augsburg die Eigenart des Schwabentums sich seit der Renaissance bildnerisch am reinsten ausgeprägt habe. Der schwäbische Hang zur Monumentalität und Horizontalität, der mit dem spitzeren, unruhigen Formempfinden der fränkischen Malschule ebenso kontrastiert wie mit dem eruptiven, farbfrohen Barock der bayrischen, scheint auch bei Brecht mit dem Alter immer stärker durchgebrochen zu sein. Als einen aufdringlich dozierenden, den Profit scharf einberechnenden, ellenbogenstarken Schwaben empfand ihn Döblin, der selber bis zum Schluß sprunghaft, sensitiv erregbar, östlich schweifend geblieben ist. Die letzten Photos von Brecht zeigen schmale Lippen eingekniffen, den Blick verschleiert und prüfend, die Züge vom Leben hart gezeichnet wie die einer alten Frau. Eine ganz andere Hingegebenheit, ja Innigkeit spricht aus der Totenmaske. Das Zarte, Freundliche scheint gelöst.

Die Liebe zur phantasievollen, geistoffenen Mutter bildet einen inneren, geheimen Kern seines Schaffens. Darum sprach er von der Großmutter. Dem Schwaben kommt man nur auf Umwegen bei, und glaubt man, mit ihm fertig zu sein, fängt seine Geschichte erst an.

Hofmannsthal, den wir anfangs zitierten, habe das letzte Wort. ›Großmutter und Enkel‹ heißt eines seiner weniger bekannten Gedichte, das den Volksliedton Justinus Kerners und Ludwig Uhlands (»Urahne, Großmutter, Mutter und Kind / In dumpfer Stube beisammen sind«) mit den spiegelnden Übergängen der modernen Dichtung verbindet: Prousts ›Tod der Großmutter‹. Der Enkel, das Bild der Verlobten im Sinn, ist bei der alten Frau eingekehrt. Alles scheint beruhigt und still wie immer, und doch beginnt alles seltsam zu schwanken. »Kind, was haucht dein Wort und Blick / Jetzt in mich hinein? / Meine Mädchenzeit voll Glanz / Mit verstohlnem Hauch / Öffnet mir die Seele ganz!«

Zeile für Zeile müßte dieses mozartisch musizierte Duett nachgelesen werden: »Als ich dem Großvater dein / Mich fürs Leben gab, / Trat ich so verwirrt nicht ein / Wie nun in mein Grab. / – Grab? Was redest du von dem? / Das ist weit von dir! / Sitzest plaudernd und bequem / Mit dem Enkel hier. / Deine Augen frisch und reg / deine Wangen hell – / Flog nicht übern kleinen Weg / Etwas schwarz und schnell?«

Eine subtile und grandiose Steigerung bis zum halb klagenden, halb jubelnden Schluß: »Fühlst du, was jetzt mich umblitzt / Und mein stockend Herz? / Wenn du bei dem Mädchen sitzt, / Unter Kuß und Scherz, / Fühl es fort und denk an mich, / Aber ohne Graun: / Denk, wie ich im Sterben glich / Jungen, jungen Fraun.«

Zwei Dichter, zwei Großmütter. Man möchte keine missen. Flickschuster ist gut, aber die ganze Welt läßt sich doch nicht auf ihn reduzieren und die Kunst nicht nur über *seinen* Leisten schlagen. Eine letzte Frage: hat überhaupt Brechts Großmutter die geschilderte Entwicklung genau so durchgemacht? Der Stand der Forschung läßt das noch nicht mit Sicherheit ausmachen. Tatsache bleibt, daß Brecht sie ganz unverkennbar in das Milieu seiner Jugend versetzt und ihr die eigenen Züge verliehen hat: die provokante Abwehr von der Bourgeoisie, eine starke Empfindung für die Zurückgesetzten, Unterdrückten, verbunden mit Härte und rücksichtslosem Trieb zur Selbstentfaltung.

Das Porträt der Großmutter – wer und wie sie auch gewesen sei – wird zum Porträt seiner selbst, und darauf kam es hier an.

Heidegger und Hebel
oder die Sprache von Meßkirch

Über Martin Heidegger ist eine ganze Literatur zusammen-
geschrieben worden und doch fehlt es – von zwei oder drei
Ausnahmen abgesehen – an genauen Untersuchungen über
Herkunft und Qualität seiner Sprache: ein erstaunliches
Manko gegenüber einem Autor, der das Wort wie eine Mon-
stranz vor sich herträgt und im Lauf der Jahrzehnte sich ein
eigenes Idiom mit besonderem Wahrheitsanspruch zurechtgebogen hat.

Als ›Jargon der Eigentlichkeit‹ hat Adorno diese Sprache un-
übertrefflich gekennzeichnet, den Hauptakzent aber auf den
philosophischen Aspekt des Vorgangs verlegt. Den rein phi-
lologisch-linguistischen untersucht Erasmus Schöfer, analysiert
auf 300 Seiten grammatikalische und syntaktische Eigenheiten Heideggers und verkennt dabei völlig die Stilebene,
auf der er sich bewegt, die ›Sprachgemeinschaft‹, der er zugehört: nicht zu Meister Eckhart, Luther, Jakob Böhme oder
gar Goethe und Nietzsche, wie hier unbesehen vorausgesetzt
wird, sondern zu den Vertretern einer abgeleiteten Luther-
und Jakob Böhme-Sprache, zu Kolbenheyer, Wilhelm Schäfer, Hermann Burte und anderen Repräsentanten jener Stil-
bemühung, die man die Sütterlin-Schrift der heilen Welt
nennen könnte, – eine Querverbindung von expressionisti-
schem Aufbruch und Schollenfrieden, Waldzauber der Wag-
neropern und Fremdwortausmerzung im radikal alldeut-
schen Sinn Eduard Engels.[1]

1 Der vorliegenden Studie waren zwei Arbeiten in französischer Sprache
vorangegangen: R. Minder: *Hebel – der Hausfreund, compte-rendu critique*, Zeitschrift ›Allemagne d'aujourd'hui‹, Paris, 1957, S. 44/45 und
63/64. – *Hebel et Heidegger. Lumières et obscurantisme.* (Im Sammelband: ›Utopies et Institutions au XVIII. siècle‹, Hg. P. Francastel,
Paris-La Haye, 1963, S. 319–330.) Dazu mein Vortrag im Collège philo-
sophique von Jean Wahl: *Heidegger, sa terre et ses morts*, Paris, Januar

Objekt unserer Demonstration wird eine kleine, weit verbreitete und leicht verständliche Schrift sein: Heideggers Rede über Hebel aus dem Jahr 1957.[2]

Der Text setzt nichts Unbekanntes voraus. Erzählungen wie ›Kannitverstan‹, der ›Star von Segringen‹, das ›Bergwerk von Falun‹, Gedichte wie »O schau dir doch das Spinnlein an«, gehören seit Generationen zum eisernen Bestand der Lesebücher. Kenner der Weltliteratur wie Hofmannsthal und Kafka haben ihrerseits Hebel als großen Meister der kleinen Form gefeiert. Längst vor ihnen, im Jahr 1804, schrieb Goethe seine liebevoll bewundernde Rezension der ›Alemannischen Gedichte‹, die seither in jeder Literaturgeschichte als Garantie für die Güte des Produkts zitiert wird. Weniger bekannt, aber ebenso warm Jean Pauls Besprechung von 1803. Die französische Heimatliteratur hat sich in ihren Anfängen 1840/50 gern auf Hebel berufen, und viel eifriger noch ist Tolstoj für ihn eingetreten. Die Übersetzung des ›Habermus‹ wurde in Rußland so populär wie einheimische Texte: Otto von Taube erzählt aus seiner baltischen Kindheit, wie er erst nach langer Zeit Hebel als deutschen Autor identifiziert habe.[3]

Überraschend darum Heideggers Ausspruch: Hebel, ein Unbekannter, in seiner tieferen Bedeutung kaum je erfaßt oder auch nur geahnt. An solch eherne Diktate ist man beim Verfasser von ›Sein und Zeit‹ freilich gewöhnt. Seine Faszina-

1958. – Th. W. Adorno: *Jargon der Eigentlichkeit. Zur deutschen Ideologie*, 1964. – Erasmus Schöfer: *Die Sprache Heideggers*, 1962. – Eduard Engel: *Entwelschung, Verdeutschungswörterbuch*, Leipzig 1918. Mit Einleitung: ›Vom Welschen und Entwelschen‹, S. 5–31.

2 Martin Heidegger: *Hebel – der Hausfreund*, 1957.

3 Nach einer brieflichen Mitteilung Otto von Taubes, 9. 10. 1963. – Goethe über die 2. Ausgabe von Hebels ›Allemannischen (sic) Gedichten‹ unter seinen Rezensionen in der ›Jenaer Allgemeinen Literaturzeitung‹ 1805. – Jean Paul: *Über Hebels allemannische Gedichte* in ›Zeitung f. d. elegante Welt 1803‹ (Abdr. in Ausg. Werke, Verl. Reimer, 2. Aufl. 1865, Bd. XV, S. 182–185.).

tion beruht zum Teil – wie bei Stefan George – auf der Unerbittlichkeit des Spruchs. Wie steht es mit dem Wahrheitsgehalt? Welch unbekannten Hebel entreißt Heidegger der Vergessenheit?

»Der Zauber der Heimat hielt Hebel im Bann.« Der Satz steht im Mittelpunkt der erbaulichen Betrachtung und macht gleich stutzig: das ist nicht nur der Tonfall Wagners, sondern das ganze magische Universum des ›Rings‹: »Mit Liebeszauber zwang ich die Wala.« Hebel, der badische Prälat und urbane Bewunderer Theokrits und Vergils, wird als Siegfried kostümiert, der zur Quelle hinabsteigt, im Jungbrunnen badet und von nun an die Waldvögelein versteht.

»Aus nebliger Gruft,
aus nächtigem Grunde
herauf! Erda, Erda!
Aus heimischer Tiefe
tauch zur Höh'!« (Siegfried III, 1).

Am Fuß des Feldbergs, wo – laut Heidegger – der Dialekt sich in seiner urtümlichen Reinheit erhalten hat, ist Hebel großgeworden und damit dem Wesen der Sprache näher geblieben als andere. Ihm strömte das zu, was der Sprachgeist in sich birgt, – »jenes Hohe, alles Durchwaltende, woraus jeglich Ding dergestalt seine Herkunft hat, daß es gilt und fruchtet«. Der Satz könnte von Kolbenheyer stammen. Die gleiche fatale ›Pracht des Schlichten‹, die der Philosoph einmal anpreist, die gleiche feiertäglich herausgeputzte, nebulös anspruchsvolle Sprache: so spricht kein Bauer, wohl aber ein aufsässig pedantischer Bauernschulmeister – womit nichts gegen Bauernschulmeister gesagt sei und noch viel weniger gegen Roseggers liebenswerten Waldschulmeister, nur gegen die hinterwäldlerische Variante davon, die Fausts Gang zu den Müttern mit Wagnerschem Zungenschlag nie genug rekapitulieren kann: »Das dichterische Sagen bringt erst anfänglich die Hut und Hege, den Hort und die Huld für eine bodenständige Ortschaft hervor, die Aufenthalt im irdischen Unterwegs der wohnenden Menschen sein kann.« So Heidegger im späteren Kommentar zu einem Hebelgedicht, 1964.[4] Und im Humanismus-Brief von 1949: »*Sein* erst gewährt dem Heilen Aufgang in Huld und Andrang zu Unheil dem Grimm.« Stabreimend auch der Titel der Rede: ›Hebel – der Hausfreund‹. Was bedeutet Hausfreund?

»Ein schlichtes Wort, aber von erregender Mehrdeutigkeit«, schreibt der Autor, und wiederholt: »ein tief- und weitsinniges Wort« und nochmals ebenso aufgedonnert: »Seine Bedeutung enthüllt sich erst dem, der das Wort weit und wesentlich genug faßt.« Heidegger faßt und dehnt es so weit, bis nichts davon übrigbleibt: der blumige Stil ist Deckmantel für eine sophistische Begriffsmanipulation geworden.

...»Das Haus wird erst Haus durch das Wohnen.« Wohnen aber ist »die Weise, nach der die Menschen auf der Erde und unter dem Himmel die Wanderung von der Geburt bis in den Tod vollbringen«. So wird zuletzt »die Wanderung der Hauptzug des Wohnens als des menschlichen Aufenthalts zwischen Himmel und Erde, zwischen Geburt und Tod, zwischen Freude und Schmerz, zwischen Werk und Wort«.

Wohlig gewiegt von Wagnerschen Ramsch-Assonanzen, die mit biblischen Reminiszenzen vermischt sind, zieht der Denker aus Meßkirch das Fazit für Hebel: »Dem Haus, das die Welt ist, ist der Hausfreund der Freund. Er neigt sich dem ganzen weiten Wohnen des Menschenwesens zu« – eine pseudo-romantisch mystifizierende Auffassung des Dichters, die uns keinen Schritt näher an Hebel heranbringt, sondern ihn fern vom Lärm des frechen Tages zum Priester des Weltmysteriums weiht. Endziel jeder wahren Dichtung ist die

4 Heidegger, Kommentar zu einem Hebelgedicht unter dem Titel ›Sprache und Heimat‹ im Sammelband über J. P. Hebel, Hg. H. Leins, Tübingen, 1964; S. 124. – Die ausgezeichnete Bibliographie bei Alexander Schwan: *Politische Philosophie in Heideggers Denken,* 1965, S. 189–206, verweist darauf, daß der Text zuerst im Jahrbuch für den norddeutschen Dramatiker Hebbel erschienen ist (Heide, Holstein, 1960, S. 27–50).

Offenbarung dieses Mysteriums – im Schwarzwaldjargon heißt es rustikaler und gespreizt: »Wahrheit als die Lichtung und Verbergung des Seienden geschieht, indem sie gedichtet wird« (Holzwege). Den Weg zum vergessenen Sein, das der Dichter wiederentdeckt, dessen Geheimnis er aber nur verhüllt an andere Initianten weiterreichen kann, bildet das Wort in seiner Ursprünglichkeit: das Wort der Muttersprache.

Muttersprache bedeutet den Dialekt, die Mundart. Wieder werden die Mütter bemüht, die Nornen, die am Quell sitzen: »Die Mundart ist nicht nur die Sprache der Mutter, sondern zugleich und zuvor die Mutter der Sprache ...« »Das Hohe und Gültige einer Sprache stirbt ab, sobald sie den Zustrom aus jenem Quell entbehren muß, der die Mundart ist.« Und nochmals mit vollen Pedalen: »Das Wort der Sprache tönt und läutet im Wortlaut, lichtet sich und leuchtet im Schriftbild.«⁵

Heidegger steht auch hier in einer alten Tradition, genauer gesagt in der letzten, pervertierten Phase dieser Tradition. »Das Wort sie sollen lassen stahn«: mit der berühmten Kampfansage hatte Luther sich bereits im 16. Jahrhundert gegen die lateinische Überfremdung gewandt, und Herder im 18. gegen die französische: beidemal ein Akt legitimer Notwehr. Aber schon bei Fichte und erst recht bei seinen Nachfolgern wird der Umschlag ins andere Extrem vollzogen: die Sakralisierung des deutschen Wortes, das an Urkraft und Tiefe sich nur mit dem griechischen messen könne und allein zur Lösung der Welträtsel, wenn nicht zur Welterlösung berufen sei – ein konstanter Gedanke Heideggers, der offen oder unausgesprochen sein Wertsystem der Philosophie bestimmt und ihm selber den Rang zuweist als Wächter des Seins und Hüter des Horts.

5 Das Zitat: ›Mutter der Sprache‹ in: *Heimat und Sprache*, o. c., S. 100. – Die beiden folgenden Zitate in: *Hausfreund*, o. c., S. 10 und 38.

Die Sakralisierung des ›deutschen Wortes‹ als geoffenbarten Urwortes ist im Deutschland der imperialen Machtkämpfe Hand in Hand gegangen mit der Pervertierung des ›Reichs‹-Begriffs. Das Reich wurde als Inbegriff der höchsten Kulturwerte des Abendlands religiös verklärt und dabei eine handfest brutale und zuletzt völlig enthemmte Gewaltpolitik getrieben. Europa trieb dem kollektiven Selbstmord entgegen. Mit nationalistischen Phrasen und Aggressivität warteten alle Staaten auf und glaubten, damit die Probleme des Industrie- und Massenzeitalters lösen zu können. Der Klimawechsel spiegelt sich im Bedeutungswandel des Wortes alemannisch wieder.

Bei Hebel wie bei Goethe, als er Hebels Gedichte anpries, bedeutet ›alemannisch‹ die kulturelle Zusammengehörigkeit der oberrheinischen Landschaft und ihrer Menschen im Geist des aufgeklärten Kosmopolitismus ohne jede politische Annektionsidee. Für David-Friedrich Strauß, den ›Bildungsphilister‹ Nietzsches, legitimiert in einer zweiten Phase – nach 1870 – der alemannische Dialekt des Elsasses seine Einverleibung ins Reich selbst gegen den ausdrücklichen Willen von 80 oder 90% seiner Bewohner: sie mußten dem Vergessen des eigenen Ursprungs entrissen werden, und sei es durch Gewalt.

Blutrot beginnt das Wort ›alemannisch‹ in einer dritten Phase zu schimmern, als 1933 ein hoch industrialisiertes, rassisch besonders buntgemengtes Volk sich arische Ahnen beilegte und bald darauf im ganzen besetzten und terrorisierten Europa Tod und Leben des Einzelnen davon abhängen ließ, ob er von Siegfried abstamme oder nicht. Ein Massenrausch, für den eine bestimmte Art von rassisch unterbauter Heimatliteratur – der Literatur in Sütterlinschrift – besonders anfällig war, die Fiedel strich, die Vöglein im Walde hörte, aber nicht das Stöhnen der Opfer, wo doch Dichter und Denker schon in den Fingerspitzen das ungeheure Leid der Zeit hätten spüren und auf der Zunge die Verdorbenheit einer Sprache hätten schmecken müssen, die mit Volkssprache, Heimatsprache, Muttersprache nichts mehr zu tun hatte, wüster Parteijargon war, Zersetzungsprodukt, Abfall, Abhub im niedersten Sinn des Wortes, zu barbarischen Endlösungen manipuliert im Rahmen einer ungeheuren technischen Maschinerie.

Es war die Zeit, wo auch Hebel als sippenverhafteter Bauer auftrat. Heidegger hat der ›alemannischen Tagung‹ in Freiburg beigewohnt, auf der Hermann Burte ein Kleinepos von rund 400 Strophen über den wiederentdeckten ›arischen Hebel‹ vortrug: streicht man das ominöse Wörtchen, so deckt sich Heideggers Hebel von 1957 bis in Einzelheiten mit Burtes arischem Hebel von 1936.

Nicht als ob hier von einer Erleuchtung zu sprechen wäre, die mit einem Schlag und für immer Heideggers Hebelbild verändert hätte. Es war längst in ihm vorgebildet und entsprach dem Bild vom Dichter in der Volksgemeinschaft, wie die Vertreter der Heimatliteratur es sich seit Jahren zurechtgebastelt hatten und wie es ein Haupt der Gruppe, Wilhelm Schäfer, in seinem unüberbietbar sturen, hunderttausendfach verbreiteten Volksbuch über deutsche Geschichte und Kultur – ›Die dreizehn Bücher der deutschen Seele‹ – popularisiert und damit die Tümpeltiefen des Kleinbürger-Gemüts in Wallung gebracht hatte.

Ein Satz genügt, um die Verwandtschaft mit Heideggers Vorstellung und Stimmlage greifbar zu machen – ein Satz aus dem Abschnitt über Hebel, dessen Wiege droben im Markgräfler Land stand, wo – schreibt Schäfer – »die muntere Wiese dem strengen Schwarzwald entspringt: Da gingen dem Knaben die Wege in fröhlicher Freiheit, da waren die Wolkenweiten über die grünen Gebreite bis hinter die blauen Fernen gebogen, da sangen die Vögel zur Arbeit, da war ein emsiges Landvolk im Kreislauf der Jahre geborgen«.[6]

6 Wilhelm Schäfer: *Die dreizehn Bücher der deutschen Seele*, 1922. – Eine andere Kostprobe aus dieser Quintessenz des poetisch ›verklärten‹ Spießertums: »Schön war Susette, die sittige Hausfrau, edel an Geist und

Mit den Farben einer Buntpostkarte und dem Schmelz des Dreimäderlhauses wird das Landleben zur zeitlos gültigen, ewig unveränderten Lebensform umstilisiert – zu einer heroischen Idylle mit Mutterlaut, Männermut und urtümlichem Brauchtum als Summe der völkischen ›Gemeinschaftswerte‹. Ein Bauerntum, wie es nie existiert hat, auch und gerade für Hebel nicht, diesen entschiedenen Anhänger der Bauernbefreiung im Sinn der Aufklärung, der Französischen Revolution und des Napoleonischen Gesetzbuches. Und auf diesen geborenen Beschwichtiger und Vermittler stümpert Hermann Burte die Strophen vom ›arischen Bauern‹ zusammen! Burte hat einen Band kräftiger Gedichte in alemannischer Mundart geschrieben, die zum Besten gehören, was die dortige Regionalliteratur hervorgebracht hat:

> »Es hange Nebel weich un wiiss,
> um beedi Bord am Rhy:
> Er bruuscht so wild, er ruuscht so liis:
> I giengt am liebste dry«

– das ist ganz die Stimmung, in der Goethes Schwester Cornelia, eine zerrissene Natur, in ihrem Emmendinger Exil das Nordische der Rheinlandschaft, die Erlkönigatmosphäre der langen Nebelmonate empfunden haben mag. In der deutschen Literatur wiegt der Band kaum schwerer als die Dialektgedichte der Brüder Mathis, die Elsässer und dabei ebenso rabiate Franzosenköpfe waren wie Burte ein Alldeutscher. Seine Dramen in der Hochsprache sind weitgehend Edelkitsch, vor allem aber sein Roman ›Wiltfeber, der ewige Deutsche‹, der 1912 den Kleistpreis erhalten hatte und eine Orgie nationaler Phantasmen mit falschem Nietzsche-Pathos darstellt.[7] Wie Heidegger, hat auch Burte sich später vom

Gestalt und aller Sehnsucht Vollendung: der helle Gott fand die Göttin« (Hölderlin, S. 252).

7 H. Burte: *Madlee, Alemannische Gedichte*, 1925, S. 216: ›Lebewohl am Rhein‹. – Auszüge aus ›Wiltfeber‹ auch bei W. Killy: *Deutscher Kitsch*, 1961. – Burte über Hebel im Sammelband *Alemannenland, ein Buch von*

Dritten Reich distanziert – in aller Stille, ohne das unbequeme, öffentlich anklagende Pathos Conrad Gröbers, des Freiburger Bischofs und gebürtigen Meßkirchers.

Als Germane war Burte 1936 unter wiedererwachten Germanen an die Rampe getreten und hatte damals seinen Hebel auf dem Hintergrund jenes Wagner-Dekors präsentiert, der bei Heidegger noch 1957 Voraussetzung ist: »Ewig die Welle, ewig das nordische Meer«.

Dorther kamen die Vorfahren, dort »lag der Hort«, dort »war die Huld«, dorthin verweist (wiederum ein Zitat) die »Hegepflicht des herrlichen Ahnenerbes«.

»Tempellos ihre Haine mit heiligen Feuern«, in ähnlichen Hainen wird Heidegger seinen Hölderlin ansiedeln, den germanischen Jüngling voll griechischen Geistes.

Urkraft kennzeichnet Burtes und Heideggers Alemannen:

>»Was immer diente dem Leben
>Oder das Leben erhöht,
>Alles gelang ihrer Kraft
>Fünfzehn Jahrhunderte lang!
>Doch zu den herrlichen Gaben
>Fügte die zornige Fei,
>Den alemannischen Fluch« –

den Fluch der Seinsvergessenheit, der Unterwerfung – unter das Fremde.

>». . . Jahrhunderte kamen, und Alemannen vergaßen
>Ihrer selber gar oft,
>Ihrer erlesenen Art!
>Dienten dem Fremden und gaben
>Lateinische Namen sich selber,
>Beugten den Geist in das Joch,
>Mietlinge verdammter Gewalt!
>Und verletzten bewußt
>Ihre arteigene Pflicht«!

Volkstum und Sendung, Hg. F. Kerber, Freiburg, 1937. Die Alemannische Tagung hatte im ›Weinmonat 1936‹ stattgefunden.

Die lateinischen Namen, die die deutsche Philosophie übernommen und damit das eigene Denken beschädigt, verstüm-
melt, entweiht hat, rückgängig zu machen durch bewußten
zähen Rückgriff auf die bodenständige Sprache des bäuerlichen Brauchtums ist für Heidegger ein Programm geworden,
das er im Humanismusbrief von 1949 klar formuliert und
das auch die Diktion seines Hebels mitbestimmt.

Hebel wird ihm dabei zum Vorläufer, Ahnherrn und Weg-
weiser aus der Wüstnis, dem Verfall, der Heilsverlorenheit,
wie Burte es formuliert:

> »Da kam Hebel! und brachte
> Aus fast verschollener Tiefe
> Wieder das magische Wort: Alemannisch! empor,
> Schuf im lebendigsten Mittel,
> Der Mundart arischer Bauern,
> In den Talen daheim
> Lieder voll Kraft und Gemüt!«

Auch der Blitzstrahl – ein späteres Leitmotiv von Heideggers
Hölderlin-Interpretation – fehlt bei Burte nicht:

> »Hebel, der Erste im Stamme,
> Den alle heilig verehren,
> Nahe dem Gott und dem Volk ...
> Ihn traf das Feuer vom Haine,
> Feite die Flamme vom Baum,
> Weihte natürliches Licht!«

Und wenn Heidegger am Schluß seiner Hebel-Rede die
wahre Sprache feiert als »Weg und Steg zwischen der Tiefe
des vollkommenen Sinnlichen und der Höhe des kühnsten
Geistes«, so zaubert Burte mit demselben Schulratpathos die
hohe Zeit der wiedergefundenen alemannischen Gemeinschaft
vor uns hin, wo »der Himmel sich neigt und der Boden sich
hebt, bis das Münster des Geistes weise sein Wesen der
Welt«.

Die politischen Bezüge sind bei Heidegger 1957 verwischt,
ja prinzipiell als irrelevant ausgeklammert. Das Metaphern-

netz der Stammes- und Sprachsakralisierung ist geblieben. Vorgeformte Ziegel, ausgeleierte Melodie.

Heideggers Themen und Formeln decken sich nicht nur mit dem Hebel-Epos von Burte, sondern schlechthin mit allen Reden des Sammelbandes: ›Alemannenland, ein Buch von Volkstum und Sendung‹, Freiburg 1936.

»Gestaltungsmächtig sind allein die ewigen Tiefen des freien, reinen Volkswesens und die genialen Höhen der schöpferischen Persönlichkeit ... Die anonyme Weltverschwörung will die Vernichtung der souveränen Persönlichkeit und die Zerrüttung des heimatständigen Volkswesens ... (Unser Ziel aber ist): die Wiederaufrichtung der freien, urtümlichen Volkheit und die Wiedereinsetzung der in Gott wurzelnden großen Persönlichkeit ... Wollt ihr Knechte des Luzifer sein oder Söhne Gottes?[8] Das ist aller Fragen Sinn – auch der alemannischen«, verkündet der nazifizierte Schweizer Erzähler Jakob Schaffner, und der Oberbürgermeister der Stadt Freiburg, Kerber, preist die »bodenständige Bindung«, die unter dem Dritten Reich die Schäden der liberalistischen Zivilisation und jüdischen Überfremdung von Staats wegen auszuheilen berufen sei: »das heimatliche Gemeinschaftserlebnis soll uns prägen«. »Die tiefsten Quellen sind aufgebrochen«, jubelt Friedrich Roth, und nochmals Jakob Schaffner: »Die mächtige Glücksquelle (wollen wir) wieder sprudeln machen aus allen Herzen und Geistern und aus den Höhen und Tiefen der geoffenbarten Heimatlandschaft«.[8]

Quelle, Kraftquelle, Jungbrunnen: das ist ein Grundbegriff dieses Stils und bildet gewissermaßen das männliche Gegenstück zum andern Grundbegriff der Wurzel, des weiblich-passiv mit dem Boden Verflochtenen, jener ›Einwurzelung‹, die Heidegger am Nazismus nicht laut genug rühmen konnte: »Es gibt nur einen einzigen deutschen Lebensstand. Das ist der in den tragenden Grund des Volkes gewurzelte und in

8 J. Schaffner, cf. *Alemannenland*, o. c. Die Zitate dort S. 35 und 36.

den geschichtlichen Willen des Staates freigefügte Arbeits-
stand ... Die erste Bindung ist die in die Volksgemeinschaft.
Diese Bindung wird festgemacht und in das studentische Dasein eingewurzelt durch den Arbeitsdienst.«[9]

Cäsar Flaischlen – hab Sonne im Herzen – hatte auch den
»steten Jungbrunnen« zur Hand: »die heimatliche Mundart,
aus der unserer hochdeutschen Schriftsprache immer neues Leben zuquillt«. Eine durchaus plausible, wenn auch banale Behauptung, die aber sofort wieder – wie im ganzen Kreis des
›Kunstwarts‹ – mit pastoraler Salbung ins Heimattümliche
eingezwängt wird und die Hebel-Rede vorwegnimmt: »So
bleibt die innere Heimat mit ihrer Stammeseigenart der stete
Nährboden, aus dem sich unser ganzer Stammescharakter zu
immer neuer Kraft, zu immer reicherer Entfaltung, zu immer
vielseitigerer Einheit emporschnellt.«[10]

Auf der niedersten Stufe liefert das Quellmotiv den Titel
von Erich und Mathilde Ludendorffs völkischem Pamphlet
›Am heiligen Quell der deutschen Kraft‹, 1933. Es steht aber
auch im Mittelpunkt von Leo Weisgerbers wissenschaftlich
anspruchsvoller Sprachtheorie. Als »Kraftquelle im Ringen
um das eigenständige Deutschtum« wird die Sprache in seinen
Darlegungen aus dem Jahr 1943 gefeiert, in denen Hum-
boldts Spätidealismus eine triefnaß nazistische Umdeutung
erfahren hat.[11]

»Die entscheidenden Kräfte des Volkstums wirken in der
Tiefe, mit der Ruhe des Zeitlosen und der Sicherheit des
Selbstverständlichen« – das könnte wörtlich in der Hebel-

9 Das Zitat von Heidegger »Es gibt nur einen einzigen deutschen Lebensstand« in: *Der Ruf zum Arbeitsdienst*, Freiburger Studentenzeitung, 23. 1.
1934.
10 Cäsar Flaischlen: Vorrede zur Anthologie *Neuland*, 1894; zitiert in
der aufschlußreichen Studie von F. Schonauer: *Deutsche Literatur im 3.
Reich*, 1961.
11 Leo Weisgerber: *Die deutsche Sprache im Aufbau des deutschen Volkes*. (Im Sammelband: *Von deutscher Art in Sprache und Dichtung*, Hg.
G. Fricke, F. Koch und G. Lugowski, 1941, Bd. 1.)

Rede stehen, und wie Heidegger greift auch Weisgerber pathetisch in die Höhen und in die Tiefen aus, verbindet die Nornen und Siegfried, die Mütter und Faust. Die »weltweite deutsche Sprache« ist zugleich »uralte Haupt- und Heldensprache«, die den Gehalt an Urworten am getreuesten bewahrt und damit dem kosmischen Geheimnis am nächsten geblieben sei. »Hier treten uns die lebenspendenden und lebentragenden Kräfte entgegen, die unser Dasein schicksalhaft durchwalten.« Muttererde, Mutterboden, Muttersprache – solche Worte besitzen nur in der germanischen Tradition ihre vollkommene Ursprünglichkeit, Lauterkeit und Läuterungskraft. Luther, Dürer, Paracelsus haben das verschüttete, vom Latein überfremdete Erbe wieder freigelegt, sind durch die Schächte der Sprache zum Grund des menschlichen Seins am tiefsten hinabgestiegen. Reisige Ritter trotz Tod und Teufel, wußten sie um die unabdingbare Notwendigkeit der Sicherung des geheiligten Sprachguts gegen artfremde Einflüsse.

Vom Seelenschmus wechselt Leo Weisgerber – wie Hitler in seinen Reden – brüsk zum Kommißton hinüber: »Die Sprache eines Volks ist eine in höchstem Maße wirkliche Macht, die jeden einzelnen von frühester Kindheit an erfaßt, ihn nach ihrem Gesetz formt und nun durch ihn hindurch die Aufgaben verwirklicht, denen sie selbst im Volksleben dient.« Eine totale Mobilmachung im Namen der Sprache, die den Menschen »ohne sein Zutun und Wollen in eine Sprachgemeinschaft auf immer eingliedert«, ihn verdorren und verderben läßt, sobald er sich freventlich von ihr abzulösen versucht oder durch fremden Zugriff aus ihr herausgerissen wird.

Wie Schlachtvieh ist in dieser Sprachdiktatur der Einzelne auf immer markiert und einer volklichen, d. h. politischen Gemeinschaft überantwortet, der als Pflicht obliegt, Abtrünnige mit Gewalt zurückzuholen. Eine Zumutung, die schon Renan in seiner Antwort an den Reichs- und Muttersprachvorkämpfer D. F. Strauß 1871 mit klassischer Präzision als

Begriffsmantscherei zurückgewiesen hatte.[12] Aus dem gleichen Geist sind Gottfried Kellers Strophen entstanden, denen die nazistischen Ansprüche auf die Schweiz als stamm- und sprachverwandtes Land später eine brennende Aktualität geben sollten:

> »Volkstum und Sprache sind das Jugendland,
> Darin die Völker wachsen und gedeihen, ...
> Doch manchmal werden sie zum Gängelband,
> Sogar zur Kette um den Hals der Freien;
> Dann treiben Längsterwachsene Spielerein,
> Genarrt von der Tyrannen schlauer Hand.
> Hier trenne sich der lang vereinte Strom
> ...
> Denn *einen* Pontifex nur faßt der Dom,
> Das ist die Freiheit, der polit'sche Glaube,
> Der löst und bindet jede Seelenkette!«[13]

Hinter Keller stand nicht nur die alemannische Mundart der Schweiz, sondern mindestens ebenso stark die soziale und politische Tradition seines Landes, die reale Schweizer Volksgemeinschaft, das Schweizer Republikanertum – genauso wie hinter Carl Spitteler und seiner mutigen, klaren Absage an den deutschen und europäischen Kriegsrausch von 1914.

Hinter Hebel stand und steht der aufgeklärte Geist des 18. Jahrhunderts.

Hier ist es an der Zeit, den ›Ursprüngen‹ Hebels etwas genauer nachzugehen.[14]

---

12 Die Antwort Renans an Strauß in seinem Brief vom 15. September 1871 (*Œuvres complètes d'E. Renan*, Bd. I, Paris, 1947). – Über die Polemik cf. das Standardwerk über deutsch-französische Beziehungen im letzten Viertel des 19. Jahrhunderts: Claude Digeon: *La crise allemande de la pensée française 1870–1914*, S. 179–215. Paris, 1959.

13 Gottfried Keller: *Gedichte*, Cotta, 1914, S. 114 (»Nationalität«).

14 Hebel-Biographie von W. Altwegg, 1935. – Vom selben Autor: *Werke*, 3 Bde., 1940. – W. Zentner: *Briefe Hebels*, 1939. – Sehr aufschlußreich ein Vergleich zwischen dem Beitrag über Hebel in: *Die großen Deutschen*, 1943, und der Neuausgabe dieses Lexikons durch H. Heimpel, Th. Heuss und B.

Hebel ist seit der Kindheit mit dem Schwarzwald innig vertraut gewesen und hat bis zum 14. Lebensjahr einen Teil des
Jahres regelmäßig in Hausen verbracht, dem Heimatdorf der
Mutter im vorderen Wiesental. Aber ebenso stark bleibt er
mit der Rheinebene verbunden. In Basel 1760 geboren, in
Basler Schulen aufgewachsen, früh von erasmischem Geist angerührt, nach einem kurzen Zwischenspiel in der Schopfhei-
mer Lateinschule Gymnasiast in Karlsruhe, Pfarrkandidat in
einem Rebdorf des Markgräfler Landes, Seminarlehrer in
Lörrach, von 1791 bis zu seinem Tod 1826 Professor und
Gymnasialdirektor, zuletzt Prälat und Mitglied der Stände-
versammlung in Karlsruhe: das alles läßt sich nicht einfach
mit derselben Geste vom Tisch wischen, mit der Heidegger
auch unbequeme Fakten aus Hölderlins Leben als uneigentlich beiseite schiebt.

Der Vater überhaupt kein Alemanne, sondern ein kurpfäl-
zisch aufgeweckter und umgetriebener Weber und Soldat, der
zuletzt am Oberrhein hängenblieb und dort früh starb. Etwas Weltläufig-Vagabundisches gehört zu den Kennzeichen
von Hebels ›Kalendergeschichten‹. Sie spielen in der Mehrzahl auf der großen Völkerstraße des Rheins, führen nicht in
abgelegene Gebirgsdörfer wie Gotthelfs Erzählungen oder
Stifters ›Bunte Steine‹. Der Ton ist ein anderer, und von ihm
gilt immer noch, was Goethe über die ›Alemannischen Gedichte‹ schrieb: er ist Widerklang und Widerspiegelung des

Reifenberg, 1956, Bd. II. Der Text von 1943 stammt vom nationalistischen
Freiburger Dichter H. E. Busse, der spätere Text von einem der subtilsten
Hebel-Kenner, Gerhard Hess. – Weitere Arbeiten über Hebel im Sammel-
band bei Rainer Wunderlich, Tübingen, 1964, Hg. H. Leins mit Beiträgen
von Th. Heuss, C. J. Burckhardt, W. Hausenstein, B. Reifenberg, W. Ber-
gengruen, M. Heidegger (›Sprache und Heimat‹, s. o., Nr. 4) und R. Minder
(Erste Fassung der Hebel-Rede in Hausen 1963). – Wertvolle Hinweise bei
R. Feger: *Hebel und Frankreich* (Alemannisches Jahrbuch 1961) und *Hebel
und der Belchen* (Schriftenreihe des Hebelbundes 1965, XIV). – Ernst
Bloch: Nachwort zu den *Kalendergeschichten* von Hebel, sammlung insel 7,
1965. – Neuausgabe von Hebels *Werken*, Insel 1968.

›Landwinkels‹ im badischen Oberland, wo Hebel gelebt hatte und der sich auszeichnet durch – »Heiterkeit des Himmels, Fruchtbarkeit der Erde, Mannigfaltigkeit der Gegend, Lebendigkeit des Wassers, Behaglichkeit der Menschen, Geschwätzigkeit und Darstellungsgabe, neckische Sprachweise«. Hebel wurde so für Goethe der Dichter, »der, von dem eigentlichen Sinne seiner Landesart durchdrungen, von der höchsten Stufe der Kultur seine Umgebung überschauend, das Gewebe seiner Talente gleichsam wie ein Netz auswirft, um die Eigenheiten seiner Lands- und Zeitgenossen aufzufischen . . .«.

Unmittelbarer tritt der Schwarzwald hervor in den Dialektgedichten. Das tiefste unter ihnen, ›Die Vergänglichkeit‹, verbindet auf grandios einfache, natürliche Weise – im parlando zwischen Großvater und Bauernjungen über Nacht, Sterne und Berge, Weltuntergang und Gott – das Landschaftsbild mit der Erfahrung des Todes, wie seinerzeit der Dreizehnjährige sie gemacht hatte, als er die schwerkranke Mutter auf dem Leiterwagen von Basel ins Dorf zurückgebracht hatte und sie unterwegs auf der Reise gestorben war. In einem solchen Gedicht – es gibt ihrer noch ein paar andere – ist alles größer, voller Klang: wir stehen im Kern von Hebels menschlichem und dichterischem Empfinden wie im ›Bergwerk von Falun‹, seinem reinsten Prosastück. Niemand wird das in Frage stellen; nur Heidegger hängt an die erlebte und durchlittene Grundsituation das Bleigewicht seiner eigenen Vorstellungen über Dialekt als Ursprache des Dichterischen und Bauerntum als ewiges Vorbild menschlicher Tätigkeit.

Hebels Besteigung des großen Belchen – ein abenteuerliches Unternehmen für jene Zeit – hatte dem Dreißigjährigen gewaltige Eindrücke hinterlassen. Seine zwei oder drei Begleiter – Theologen und Hungerleider wie er – begründeten mit ihm den Kult des ›Belchismus‹, als dessen Gott sie Proteus erwählten, den Gott des Nichts und der Habenichtse. Aber Proteus kannten sie aus den ›Georgica‹, und neben Diogenes und Parmenides wurde Virgil der oberste Schutzgeist der

›Belchianer‹. Die Geheimsprache, die sich der schöngeistige Zirkel in jenen kurzen Jahren zulegte, hat wenig mit Dialekt zu tun und weit mehr mit surrealistischen und dadaistischen Wortspielen, wenn aus Saum eine Maus herausgezaubert wurde und aus Gras ein Sarg. Das Ganze mit einem philologisch-theologischen Schulschmäcklein wie bei Mörike. Die lyrische Ader war bei Hebel freilich sehr viel geringer und in zwei, drei Jahren erschöpft; es ist bei aller Geselligkeit etwas merkwürdig Sprödes, sentimentalisch Versponnenes, jung-gesellig Vertracktes an ihm. In sein Heimatdorf, von dem er immer sprach, ist er kaum je zurückgekommen; die geliebte Gustave Fecht, der er jahrzehntelang galante oder herzens-zarte Briefe ins Pfarrhaus nach Weil im Oberland schrieb, hat er so wenig geheiratet wie Grillparzer eine der Schwestern Fröhlich. Jean-Paulisch träumt er vor dem Tod mit 66 Jahren davon, mit siebzig das Geburtshaus in Basel zu mieten und »alle Morgen, wie es alten Leuten geziemt, in die Kirchen, in die Betstunden« zu gehen, fromme Büchlein zu schreiben »und Nachmittag nach Weil« zur hypochondrischen Jungfer.

Seine ›Kalendergeschichten‹, zwischen 1808 und 1820 als Beiträge zum badischen lutherischen Kalender in öffentlichem Auftrag redigiert, bekämpfen religiösen wie politischen Obskurantismus, ganz im Sinn von B. Franklins ›Poor Richard's Almanac‹ (1732 sq.). Ihre Wirkung und Bedeutung ruht nicht nur auf der Kraft des Ausdrucks, sondern ebensosehr auf einer besonderen Kraft des Fühlens und Denkens. Was Hebel von seinen Nachahmern, den zahllosen Schollendichtern und Winkelgrößen unterscheidet, ist neben dem dichterischen Genius die Spannweite und Modernität einer Ideologie, die die Grundtendenzen seiner Zeit zusammenzufassen und -zuschauen imstande ist. Exemplarisch verbindet er Aufklärung mit Frömmigkeit und den Toleranzgedanken des Evangeliums mit den Grundsätzen jener bürgerlich-bäuerlichen Emanzipation, wie sie in Baden der Markgraf Karl-

Friedrich als Schüler der französischen Physiokraten schon 1783 in die Wege geleitet und 1806 durch die original-badische Adaptation des Napoleonischen Gesetzbuches auf allen Gebieten rechtskräftig gemacht hatte. Der Ludwigshafener Ernst Bloch hat in diesem Sinn Hebel mit vollem Recht als ›citoyen‹ bezeichnet, als bewußt fortschrittsfreundlichen Bürger, als erfahrenen Parlamentarier, der – voll Rechtlichkeit und Schläue wie die Figuren seiner eigenen Geschichten – das schwierige Konkordat zwischen Lutheranern und Reformierten im neuen Großherzogtum Baden ausgehandelt hatte – in enger Verbindung mit Brauer, Reitzenstein, Tulla, Wessenberg und anderen konstitutionell gesinnten Männern, unter deren Einfluß Baden bis zum Scheitern der Revolution von 1848 Deutschlands großes Reservoir an aktiven Demokraten geworden ist.

Demokraten – ein Begriff, der für Heidegger wie für Weisgerber unverständlich, ja abwegig sein mußte, stammen doch beide aus den radikal umgeschichteten bäuerlich-bürgerlichen Kreisen der Bismarck- und Hohenzollernzeit, die unter Verzicht auf politische Mündigkeit patriotisch strammstanden, nach 1918 das Fronterlebnis sakralisierten, die Weimarer Republik diabolisierten und wie reife Früchte auf den Boden klopften, als blutrot am Horizont der Führer aufgetaucht war.

Selbst zur Zeit, als Deutschland in Stalingrad schon auszubluten begann und das Regime ins Herz getroffen war, überdröhnte der heutige Bonner Ordinarius für Sprachwissenschaft die Wirklichkeit mit dem ebenso großschnauzigen wie gespensterhaft irrealen Pathos seiner ›Festrede zur Feier der Reichsgründung und der nationalen Erhebung am 30. Januar 1943‹. Ihr Thema, ein Heidegger-Thema: ›Sprache als volkhafte Kraft‹.

»Das Gedenken an die großen Führertaten unserer Volksgeschichte erfüllt seinen Sinn erst dann, wenn es nicht ein

Erinnern an Geschehnisse bleibt, sondern uns selbst hinein-
stellt in das Fortwirken dieser Ereignisse. Was in den Schick-
salsentscheidungen der Geschichte für das Ganze erkämpft
wurde, das muß jeder einzelne von uns als immer neu gestellte Aufgabe verspüren. Und nicht nur als allgemeine
Verpflichtung, sondern als deutlich umschriebene Forderung
des Verhaltens zu den Grundkräften des volklichen Lebens.«
Wir kennen diese Forderungen aus der Hebel-Rede. Die Namen sind auswechselbar: »Es ist ja das Eigentümliche bei der
Teilhabe an der Muttersprache, daß ein jeder jederzeit zu
verantwortlichem Tun verpflichtet ist« – nichts unterscheidet
solche Formeln von denen aus Heideggers ›Hebel‹ 1957. Nur
wird in der ›Festrede‹ Leo Weisgerbes der kriegerische
Schmuck noch unverhüllt auf stolzer Brust zur Schau getragen (»Über die Brust wie ein Rind und ein Bart wie ein
Löw«, Tambourmajor im ›Woyzeck‹): »Von unserm Hier und
Jetzt hängen Wirkungen ab, die im ganzen die geistige Stoß-
kraft unseres Volkes erhöhen oder aber vermindern. Nicht
die geringste Aufgabe der Sprachwissenschaft ist es, die Ver-
antwortlichkeit aller vor der Sprache als volkhafter Kraft
bewußt zu halten. Wenn schon die deutsche Haltung zur
Sprache auch in die Entscheidungen unserer Tage eingegangen
ist, dann müssen wir wissen, daß zwei Dinge wesentlich davon abhängen: die geistige Geschlossenheit des deutschen
Volkes und die weltweite Wirkung des deutschen Geistes. An
jedem von uns ist es, sein Handeln danach zu gestalten. Der
Weg ist der der täglichen Bewährung in scheinbar kleinen
Dingen. Das Ziel ist aber dasselbe, das uns bei dem Gedenken
an den 18. Januar 1871 und den 30. Januar 1933 immer
leuchtender vor Augen tritt und das die Quelle unserer sieg-
haften Kraft im jetzigen Entscheidungskampfe ist: das ewige
Volk und Reich der Deutschen.«[15]

15 Leo Weisgerber: *Die Haltung der Deutschen zu ihrer Sprache,* Festrede am 30. 1. 1943 in: ›Zeitschrift für Deutschwissenschaft und Deutsch-
unterricht‹, 1943, S. 212–18. – Vergleiche dazu Walter Boehlich: *Irrte hier*

Statt Rilke und Trakl interpretierend zu zelebrieren, könnten die Deutschlehrer mehr für Sprachsinn und Bürgerkunde tun, wenn sie die rasselnde Verlogenheit und panzerstarrende Inhumanität solcher Elaborate bis in die syntaktischen Einzelheiten demonstrierten und zur Erläuterung einen Aphorismus des (stets kastrierten) Johann Gottfried Seume heranzögen: »Wenn ein Deutscher zu sogenannter Würde oder auch nur zu Geld kommt, bläht er sich dick, blickt breit, spricht grob, setzt sich aufs große Pferd, reitet den Fußsteg und peitscht die Gehenden.« Heideggers Proklamationen würden die Parallelbelege liefern.

Josef Weinheber hatte schon früher in seinem ›Hymnus auf die deutsche Sprache‹ ähnliche Gedankengänge verkündet, unter Orgelklang und Schwertersang Pseudoreligion bis in die zahnlosesten Tiefen des deutschen Gemüts gegurgelt:

> »O wie raunt, lebt atmet in deinem Laut
> Der tiefe Gott, dein Herr; unsre Seel,
> Die da ist das Schicksal der Welt.
> ... Du gibst dem Schicksal die Kraft des Befehls und Demut dem Sklaven
> ... Du nennst die Erde und den Himmel: deutsch.
> ... Du unverbraucht wie dein Volk!
> Du tief wie dein Volk!
> Du schwer und spröd wie dein Volk!
> Du wie dein Volk niemals beendet!
> ... Sprache unser!
> Die wir dich sprechen in Gnaden, dunkle Geliebte!
> Die wir dich schweigen, heilige Mutter!«[16]

Die Dämpfung und europäische Umfrisierung in der späteren Zeit ist Weisgerber und Heidegger gemeinsam. Derselbe Leo

---

Walter Boehlich? ›Frankfurter Hefte‹ Jg. XIX, 1964, S. 731 ff. und Rainer Gruenter: *Verdrängen und Erkennen. Zur geistigen Situation der Germanistik.* ›Monat‹, 197, Februar 1965, S. 16 bis 23.

16 J. Weinheber: *Selbstbildnis*, Ausgewählte Gedichte, bei Langen und Müller, München, 1937. S. 30/31.

Weisgerber, der sich in der Zeit der großen Verbrechen keinen Augenblick um ›Menschenrechte‹ irgendwelcher Art scherte und nur vom Recht und Vorrecht der Sprache besessen war (wie noch heute Heidegger), forderte nach dem Zusammensturz eines Regimes, für das er sich so ›voll und ganz‹ eingesetzt hatte, den Einbau seiner Sprachtheorie als ›volkliches Recht‹ in die Charta der ›Vereinten Nationen‹. ›Volkliches Recht‹: der Klumpfuß wird sichtbar. Immer wieder geht die Sprache mit dem Schreiber durch, das Eingliedern und Erfassen von Gemeinschaften kann er nun einmal nicht lassen: Das »natürliche Recht der Sprachgemeinschaft ist ein Menschheitanliegen schlechthin und kann nur von da aus voll erfaßt werden«.[17]

Nicht umsonst war Hitler so lange sein Meister und Denklehrer gewesen. In seiner Rede vom 30. Januar 1943 hatte Weisgerber sich ausdrücklich auf die Rede vom 30. Juni 1937 berufen, worin Hitler im Rahmen einer ›Weihestunde des deutschen Sängerbundfestes‹ neben der deutschen Sprache in erster Linie das deutsche Lied verherrlicht. Heideggers Weihestunde für Hebel arbeitet 1957 mit den gleichen Grundbegriffen, verwertet das gleiche gedankliche Material, ohne vermutlich die Rede selber zu kennen, aber aus der gleichen ›organischen‹ Sprachauffassung heraus.

17 Leo Weisgerber: *Sprachenrecht und europäische Einheit*, 1959. (Arbeitsgemeinschaft/Forschung des Landes Nordrhein-Westfalen, Geisteswissenschaften, Heft 81) Westdeutscher Verlag, Köln und Opladen, 1959. – Das obige Zitat von J. G. Seume in: *Apokryphen*, sammlung insel 18, S. 94. – Reiches Material über den patriotischen Wortbombast in der scharfsinnigen Studie von H. Glaser: *Die Spießerideologie. Von der Zerstörung des deutschen Geistes im 19. und 20. Jahrhundert*, 1964. Eine Apologie der ›Gemeinschaft‹ im Dienst der NPD und mit den alten Argumenten des Dritten Reichs hat Prof. Dr. Anrich im Juni 1966 in Stuttgart gegeben (cf. Stuttgarter Ztg. v. 20. 6. 66). Der Verfasser, durch seine nazistischen Schriften berüchtigt, war inzwischen zum Leiter der Wissenschaftlichen Buchgesellschaft in Darmstadt avanciert, die er erst auf Grund dieses neuen Bekenntnisses zum alten Dogma verlassen mußte. Cf. u. a. Anrich: *Deutsche Geschichte 1918 bis 1939* (1940).

»Das deutsche Lied«, hatte der sogenannte Führer ausgerufen, »begleitet uns von unserer Kindheit bis ins Greisenalter. Es lebt in uns und mit uns und läßt, ganz gleich wo wir auch sind, immer wieder die Urheimat vor unseren Augen erstehen, nämlich das deutsche Land und das deutsche Reich... Im Lied hat der Einzelne sich der Heimat ergeben... Wer so zu seinem Volk und zu seiner Heimat steht, der wird aus beiden immer wieder neue Kraft gewinnen! Und so ist stets das deutsche Lied eine Quelle der Kraft geworden und ist es auch heute wieder.« Die Rede schloß mit einem Hochruf auf »das deutsche Reich der Größe und der Ehre und der Kraft und der Herrlichkeit und der Gerechtigkeit, Amen!« – eine stürmisch bejubelte Eingliederung der Bibelworte ins Evangelium vom deutschen Menschen. Dietrich Heßling und Sternheims Bürger Maske schwelgten im Gemüt und spürten die Kraft ihrer Lenden.[18]

Wieder einmal war das Volkslied als erderwachsenes, gottverbundenes Gemeinschaftserzeugnis mythisiert. Sternheim hatte die Attrappe schon 1913 in seinem ›Schippel‹ aufgedeckt und persifliert.

Heidegger macht die Mystifikation noch 1955 mit, wenn er zur 175. Geburtstagsfeier des Meßkircher Musikers Conradin Kreutzer das Wort ergreift, sein Werk auf die »Grundkräfte des heimischen Bodens« reduziert und danach die besorgte Frage stellt: »Gibt es noch wurzelkräftige Heimat, in deren Boden der Mensch ständig steht, d. h. boden-ständig ist?« Die Frage wird verneint, und doch muß, »wo ein wahrhaftig freudiges Menschenwerk gedeihen will, der Mensch aus der Tiefe des heimatlichen Bodens in den Äther hinaufsteigen können«.[19] Damit stehen wir wieder bei der ›Alemannischen

18 Der Text der Hitlerrede bei M. Dormarus: *Hitlerreden und Proklamationen*, Bd. I, 1962, S. 711.
19 Heidegger: *Festrede über C. Kreutzer am 30. 10. 1955 in Meßkirch.* Abdruck in ›Gelassenheit‹, 1959, S. 11–28. – Anton Gabele: *Das Nachtlager*, 1940. Cf. auch seinen Roman *In einem kühlen Grunde*, 1939.

Tagung‹ von 1936 und Jakob Schaffners Ausruf: »Gestaltungsmächtig sind allein die ewigen Tiefen des freien reinen Volkswesens und die genialen Höhen der schöpferischen Persönlichkeit.«

Wenn tatsächlich das Beste an Conradin Kreutzers fast ganz verschollenen Opern und Chorgesängen rustikale Lieder mit Hörnerschall-Effekten bleiben (›Droben stehet die Kapelle‹ oder die Jagdszenen aus dem ›Nachtlager von Granada‹), so deswegen, weil andere Regionen dem mediokren Weber-, Schubert- und Mendelssohn-Epigonen verschlossen blieben. Ihm fehlten das Genie und die Kenntnisse, die Mendelssohn von Natur und durch Schulung besaß, obwohl er ein patrizischer Großstädter ohne jede ›Schollenverbundenheit‹ war. Bodenständigkeit als Kriterium künstlerischer Befähigung spukt nicht nur in Heideggers Schriften weiter; er teilt den Wahn mit einer von Hitler gezeichneten Generation. »Kultur ist Ausdruck völkischen Eigenwesens in höchster Form«, heißt es in Kolbenheyers ›Bauhütte‹ und auf dem Wesselburer Grabstein von Adolf Bartels steht: »Eine Sünd nur gibt's auf Erden: untreu seinem Volk zu werden – und sich selber ungetreu.«

Das Gegenstück zu einem solch religiös überholten, rassenpolitisch unterbauten Volksbegriff bildet Béla Bartóks Schaffen und Denken – avantgardistische Musik, deren Rhythmus und Melodik doch in jedem Takt die genaue, enthusiastische Vertrautheit mit der ungarischen Volksmusik bezeugen. Statt schicksalhaft durchwalteter, dumpfer Hingabe an ein mythisch gedeutetes Erbe, die ständige Anstrengung des Begriffs, ein Akt höchster kritischer Reflexion in der Konfrontierung des Überlieferten mit den Problemen des technischen Zeitalters. Zu keiner Zeit seines Lebens hätte Bartók – so wenig wie Hebel – den Satz unterschrieben, den der Meßkircher Sakristansohn noch 1954 wiederkäut: »Die Aufklärung verfinstert die Wesensherkunft des Denkens.«[20]

20 *Über den Humanismus*, 1947.

»Der Verlust der Bodenständigkeit«, heißt es im Kreutzer-Gedenkwort weiter, »kommt aus dem Geist des Zeitalters, in das wir hineingeboren sind.« Und an diesem Geist der Planung und Berechnung, der Organisation und des automatischen Betriebs sind grundlegend schuldig die Philosophen des 17. Jahrhunderts, vorab Descartes.

Heidegger ist also auch hier der Auffassung treu geblieben, die Karl Hahm als ›Reichsobmann für Bauernwesen‹ 1934 verkündigte: »Die städtische Zivilisation hat die alte ererbte bäuerliche Gemeinschaftskultur aufgelöst. Diese Gemeinschaftskultur war ein hochentwickeltes Wirtschafts- und Weltanschauungssystem gewesen, das die Dorfgemeinde zu einer organischen Einheit zusammenschloß. Stetigkeit der Lebens- und Arbeitsform, Beharrlichkeit der eingebundenen Kultur waren ihr Merkmal.« Zwei große geistige Linien umgrenzen und tragen das bäuerliche Brauchtum: der Lebenskreislauf und der Jahreskreislauf... So bleibt die Bauernarbeit ewig gleich. Bekenntnis zu Blut und Boden bildet damit eine ganz unsentimentale und wirkliche Voraussetzung gegen liberale Vergiftung.«[21]

Mit der dröhnenden Salbung, die den Proklamationen des Regimes und den gleichzeitigen Verlautbarungen Martin Heideggers eigentümlich war, feierte der ›Reichsobmann für Bauernwesen‹ auch die Mundart als »Ausgangspunkt der neuen Gesinnung und Gesittung« – dies in einer Stunde, wo routinierte Techniker der Massenbeherrschung, Verbrechertypen mit Großstadtkniffen, ihre Hand auf die Apparatur eines durchrationalisierten Industriestaats gelegt hatten.

Anton Gabele aber, ein Bauernsohn und Volksschullehrer aus Buffendorf bei Meßkirch, schrieb in seinem Roman ›Pfingsten‹, 1934, über das Dritte Reich mit Wendungen, die bis heute Heideggers Diktion kennzeichnen: »Tief in das

21 Karl Hahm: *Bäuerliches Brauchtum und Werktum* in: ›Nationalsozialistische Monatshefte‹, März 1934, S. 265 sq.

Mutterreich verwurzelt und hoch in die Weite des Himmels gebreitet, steht das neue Deutschland da«.[22]

Ein anderer Bauernsohn aus Meßkirch, Conrad Gröber, der Erzbischof von Freiburg, schwelgte ebenso hemmungslos vom »verschmelzenden Feuer, das das Volk in seinem Innersten ergriffen« habe, vom »völkischen Erleben, das sich immer wieder ins Religiöse und Heilige auslöse«, von der »Rückkehr zu den naturbedingten und gottgewollten Wurzelgründen des Wesens«.[23]

Drei Meßkircher, die von sich reden machen und von denen einer die Welt aufhorchen läßt; die alle drei zu einer bestimmten Zeit ihre Ziele mit den Zielen des Nazismus völlig identifizieren und sich dann mehr oder weniger spät, mehr oder weniger entschieden, von ihm distanzieren, ohne dabei je auf die Grundbegriffe von Heimat, Volk, Verwurzelung zu verzichten: das fordert Beachtung und lenkt unsern Blick auf Meßkirch als Ort des ›Ursprungs‹.

Meßkirch – ein Marktflecken auf dem Hochplateau der oberen Donau; karges, weites Land mit Wegen und Pfaden durch Mulden über Hänge, Hügel mit Eichen hinauf, sonnige

22 Anton Gabele: *Pfingsten*, 1934, S.175.
23 Conrad Gröber so schon bei Ausbruch des 1. Weltkrieges, Juli 1914. Zitiert in: *Hirtenrufe des Erzbischofs Gröber in die Zeit*, hg. von K. Hofmann, S. 142. Der Text ist 1942 geschrieben. Laut einer Mitteilung des erzbischöflichen Ordinariats in Freiburg i. Br. vom 13. 12. 1965 ist der Nachlaß von C. Gröber für die Öffentlichkeit noch nicht freigegeben. Man bleibt also weitgehend auf die Zeitungsdokumente jener Zeit angewiesen, die auch in den diversen zusammenfassenden Publikationen über das Verhalten der katholischen Kirche zum Nationalsozialismus zitiert werden, so ›Amtsblatt der Diözese Freiburg‹, Nr. XVIII, Juni 1933, S. 85. – ›Germania‹ Nr. 225, 17. 8. 1933. – ›Badischer Beobachter‹, 10. Oktober 1933 etc. Eine Fundgrube von nazistischen Stellen bildet das *Handbuch der religiösen Gegenwartsfragen*, das Erzbischof Dr. C. Gröber ›mit Empfehlung des deutschen Gesamtepiskopats‹ noch 1937 herausgegeben hat (Herder, Freiburg i. Br.). Im Vorwort (Epiphanie 1937) schon heißt es: »In der gegenwärtigen Schicksalsstunde unserer Nation stellen sich die

Waldblößen entlang. Vom Heimatdorf der Mutter stürmt
›der‹ Ostluft herein, schreibt Heidegger; bei aller Sonne ist
die Luft noch hart und fährt wie ein Bürstenstrich übers Gesicht, schreibt Anton Gabele.[24]
Bauern strömen aus dem ganzen Kreis zu den großen Markt-
tagen herbei. Meßkircher Zuchtvieh war schon im 19. Jahrhundert bis nach Südafrika bekannt, gesucht, prämiiert –
der Menschenschlag ist schwäbisch: zäh, zielbewußt und
bei aller Verschlossenheit weltschlau. Die begabteren Kinder
kommen hier auf die Schulen und nach weiterer Auslese in
die Priesterseminare unten am Bodensee, wie einst Conrad
Gröber und Heidegger zu den Jesuiten in Konstanz. Rom
wacht über die Seinen in der Ackerbaustadt mit ihren vier
katholischen Kirchen, einer protestantischen und rund 3000
Seelen am Jahrhundertbeginn.

Leiter der Kirche in besonderer Treue an die Seite der Männer des Staates, entschlossen zur einigen Abwehr des Feindes. Indem sie für das
Christentum und den echten Gottesglauben im deutschen Volke kämpfen,
stützen sie auf ihre Weise am wirksamsten den Wall, den in unserem
Vaterlande der Führer gegen den Bolschewismus aufgeworfen hat.« –
Artikel ›Ehre‹: »Mit der christlichen Sinngebung und Begrenzung der Ehre
soll daher in keiner Weise verkannt sein, daß dieses neue Ethos entscheidend beigetragen hat zu der bereits Geschichte gewordenen Tat, mit der
der Führer des Dritten Reiches den deutschen Menschen aus seiner äußern
Erniedrigung und seiner durch den Marxismus verschuldeten innern Ohn-
macht erweckt und zu den angestammten germanischen Werten der Ehre,
Treue und Tapferkeit zurückgeführt hat.« – Artikel ›Erziehung‹: »Die
Kirche ... unterstützt die Erziehung zum deutschen Menschen mit seinen
Grundeigenschaften des Heldischen, des Kämpferischen, der Aufgeschlos-
senheit für Ehre und vor allem der opferfrohen Einsatzbereitschaft für
die Gemeinschaft. Sie stellt sich damit freudig in den Dienst nationalpoli-
tischer Erziehung, sie sieht im Einsatz für Heimat, Volk und Staat eine
zuletzt religiös begründete Verpflichtung.« – Wiederum zeigt sich, daß wer
diese Sprache mitsprechen konnte, ohne den Unrat zu wittern, von vorneherein den politischen Vorgängen und ihrer Tragweite gegenüber blind sein
mußte.

24 M. Heidegger: *Der Feldweg*, zuerst als Privatdruck bei Klostermann,
Frankfurt/M., 1949, erschienen. Das Zitat S. 3. – Anton Gabele: *Der Talisman*, Roman, 1932. – Auszug unter dem Titel ›Die Jahreszeiten‹ in der

Hinter Ulm beginnt der Balkan, sagt das Sprichwort; hinter Meßkirch – die Gebirge und Orakel Dodonas, empfindet Heidegger. Tief eingebettet in die scheinbar unberührte Natur und bäuerliche Überlieferung, war er in der Zwiesprache mit Wurzel und Quelle an verschüttete Formen des Seins herangekommen, hatte sich dabei immer näher an die Griechen der Frühzeit herangetastet und sich zuletzt als ihren wahren Erben erkannt und proklamiert.

Die sieben Seiten des ›Feldwegs‹ – einer der ersten autobiographischen Texte Heideggers – atmen in der Schilderung der Landschaft von Meßkirch natürliche Empfindungskraft und Frische. Bis in topographische Einzelheiten entsprechen sie der Schilderung in Anton Gabeles autobiographischem Roman ›Der Talisman‹, 1932: ein Duett zweier Meßkircher. Der Text Gabeles beginnt: »Der Vater schreitet am Ackerrand hin, die Rosse stampfen am Pflug und werfen den Kopf, die spitzen Ohren auf und nieder. Mein Bruder geht dahinter, eine Hand an der Pfluggabel, schwingt manchmal die Peitsche und läßt sie einen lustigen Knaller tun. Ein Rabe stapft in der Furche nach, sucht und pickt. Und Rosse, Pflug, Bruder und Rabe kommen an den Hügelrand, sind eine Weile von einem gelben Leuchten umgeben und schwinden langsam, wie von der Erde oder dem Himmel aufgesogen.« Es folgt eine lange Schilderung der jahreszeitlich wechselnden Luft und Arbeit draußen, die Heideggers eigener Text plastisch rafft: »Dieselben Äcker und Wiesenhänge begleiten den

Lesebuchanthologie Sammlung, I, Hg. R. Bouillon u. a., Verlag Kirchheim/Mainz und A. Bagel, Düsseldorf, 1949, S. 128–135. – Über Meßkirch neuerdings auch: Meßkirch gestern und heute. Heimatbuch zur 700jährigen Stadtgründung, 1961. – Dort S. 84–86 Heidegger: Dank an die Meßkircher Heimat anläßlich der Ernennung zum Ehrenbürger, 27. 9. 59 – eine Rede, die weitgehend auf dem Wortspiel denken / danken aufgebaut ist und erneut den unentrinnbaren Charakter der Heimatverwurzelung des Einzelnen betont. – Heideggers Ansprache zum 700jährigen Stadtjubiläum 22.–30. Juli 1961 abgedruckt in Ansprachen zum 700jährigen Jubiläum, Meßkirch, 1961, S. 7–16.

Feldweg zu jeder Jahreszeit mit einer stets anderen Nähe. Ob das Alpengebirge über den Wäldern in die Abenddämmerung wegsinkt, ob dort, wo der Feldweg sich über eine Hügelwelle schwingt, die Lerche in den Sommermorgen steigt, ... ob ein Holzhauer beim Zunachten sein Reisigbündel zum Herd schleppt, ob Kinder die ersten Schlüsselblumen am Wiesenrain pflücken, ob der Nebel tagelang seine Düsternis und Last über die Fluren schiebt, immer und von überall her steht um den Feldweg der Zuspruch des Selben: Das Einfache verwahrt das Rätsel des Bleibenden und des Großen. Unvermittelt kehrt es bei den Menschen ein und braucht doch langes Gedeihen. Im Unscheinbaren des immer Selben verbirgt es seinen Segen.«

Aus der Ferne hinkt Conrad Gröber nach, wenn er den Heimweg vom Ausflug zu einem priesterlichen Verwandten beschreibt: »Ich kam aus einem tief einsamen Schwarzwaldtal. Die Berge standen herbstlich sattgrün. Die Schwarzwaldhäuser duckten sich an den sonnenhellen oder beschatteten sanften Halden, die zerstreuten Herden weideten in den tiefen, fast baumlosen Mulden, die Wälder hoben sich schwarz und gezackt vom blauen Horizont ab.«[25]

Bei Gröber setzt sich die Schilderung alsbald in Predigt um; Konstanzer und Freiburger Münster tauchen als Wahrzeichen auf, überstrahlt vom ›ewigen, begnadeten Rom‹. Gabele ergeht sich in realistischer Kleinschilderung. Heidegger formuliert den philosophischen Zuspruch des Feldwegs: »Die Eiche selber sprach, daß wachsen heißt: der Weite des Himmels sich öffnen und zugleich in das Dunkel der Erde wurzeln... Immer noch sagt es die Eiche dem Feldweg, der seines Pfades sicher bei ihr vorbeikommt. Was um den Weg sein Wesen hat, sammelt ein und trägt jedem, der auf ihm geht, das Seine zu... Der Zuspruch macht heimisch in einer langen Herkunft.«

Zu den gleichen ›Ursprüngen‹ fühlt auch Gabele »sich immer

25 Gröber: *Hirtenrufe*, o. c., S. 133 (1942).

wieder heimgekehrt«. »Das Bild der heimatlichen Landschaft steigt auf und des dörflichen Jahres. Alles hebt sich neu ins Licht in dem stillen Gesetz ihres Daseins, alles lebt und webt in dem großen Gemeinsamen, das sie trägt und erhält, Erde und Getier und Menschen. Zauberhaft ist das Wort des Dichters, welches das scheinbar Vergängliche und Versunkene in die Regionen des Unvergänglichen und Fortwirkenden hebt. Alles das anheimelnd in einem kalenderhaften Rahmen geborgen.«

Gleiche Ursprünge und überraschend gleiche Diktion, gleiche Weltansicht. Der Niveauunterschied beruht auf dem angeborenen denkerischen Impuls Heideggers, der durch scholastische Zucht seine volle Ausbildung erfahren hatte. Auch wenn er später Kehrtwendung gegen die Scholastik macht, hat doch gerade sie ihm Waffen dafür in die Hand gegeben, wie die Rhetorik von Sartres Großvater dem französischen Existenzialisten Waffen zum Angriff auf die eingesogene und eingebleute bourgeoise Rhetorik.

Die biographischen Angaben bei Heidegger sind knapp. »Es war, als hütete ihre Sorge unausgesprochen alles Wesen«, heißt es von der Mutter im ›Feldweg‹.

Eindringlicher – wenn auch indirekt – wird sie in einem frühen Aufsatz (1935) der ›Holzwege‹ verherrlicht, wo ein Bild van Goghs die Schilderung der Bäuerin auslöst, die »am späten Abend in einer harten, aber gesunden Müdigkeit die Schuhe wegstellt und im noch dunklen Morgendämmern schon wieder nach ihnen greift«.

»In der derbgediegenen Schwere des Schuhzeugs ist aufgestaut die Zähigkeit des langsamen Gangs durch die weithin gestreckten und immer gleichen Furchen des Ackers, über dem ein rauher Wind steht. Auf dem Leder liegt das Feuchte und Satte des Bodens. Unter den Sohlen schiebt sich die Einsamkeit des Feldweges durch den sinkenden Abend. In dem Schuhzeug schwingt der verschwiegene Zuruf der Erde, ihr stilles Verschenken des reifen Korns und ihr unerklärtes Sichversagen in der öden Brache des winterlichen Feldes.«[26]

Der dunklen Schwere des Textes gibt das persönliche Erleben den unverkennbaren Akzent. Stärker noch als an van Goghs Bäuerin denkt man an die Kohlezeichnung von Dürers Mutter mit dem gramdurchfurchten, herben und verschwiegenen Gesicht. »Zur Erde gehört dieses Zeug [das Schuhzeug] und in der Welt der Bäuerin ist es behütet. Das wesentliche Sein des Zeugs bedingt seine Verläßlichkeit. Kraft ihrer ist die Bäuerin durch dieses Zeug eingelassen in den schweigenden Zuruf der Erde, kraft der Verläßlichkeit des Zeuges ist sie ihrer Welt gewiß. Welt und Erde sind ihr und denen, die mit ihr und in ihrer Weise zu tun haben, nur so da: im Zeug. Wir sagen ›nur‹ und irren dabei; denn die Verläßlichkeit des Zeuges gibt der einfachen Welt ihre Geborgenheit und sichert der Erde die Freiheit ihres ständigen Andranges.«

Der Nabelstrang, der Heideggers Denken mit seiner bäuerlichen Umwelt verbindet, wird an solchen Stellen sichtbar. Seine Existenzphilosophie ist an die Bäuerin von Meßkirch gebunden wie schon vor 1914 das existentielle Denken Péguys an die mütterliche Gestalt der Stuhlflickerin in einem ländlichen Vorort von Orléans. Mag Charles Péguy sich auch durch die geniale dichterische Spannweite vom Philosophen unterscheiden und dieser durch die Kraft des spekulativen Denkens: gemeinsam bleibt ihnen der Trieb, das Wort immer wieder zu umkreisen, es ganz einzukreisen, den Kern des Urwortes herauszuschälen. In der ›Herkunft‹ wollten sie wieder heimisch werden: Péguy besiegelte mit dem Tod in der Marneschlacht seinen militanten Revanchismus, seine Absage an die ›zersetzende‹ sozialistisch-pazifistische Gedankenwelt des einstigen Freundes Jean Jaurès, seinen Glauben an das auserwählte französische Volk und dessen Schutzheilige:

26 M. Heidegger: *Holzwege*, 1950, S. 23. (Der Text stammt aus einem Vortrag von 1935: *Der Ursprung des Kunstwerkes.*)

Jeanne d'Arc, das Bauernmädchen, das dem Zuruf der Erde wie des Himmels noch offenstand.

»Anfang August 1914 als Kriegsfreiwilliger gemeldet« – verzeichnet Heideggers Notiz im ›Deutschen Führerlexikon 1934 bis 35‹. »Am 9. Oktober 1914 wegen Krankheit entlassen. 1915/17 Dienst bei der Postüberwachungsstelle Freiburg i./Br.; 1918 Frontausbildung; 1918 vor Verdun bei Frontwetterwarte 414 ... Entstammt alemannisch-schwäbischem Bauerngeschlecht, das mütterlicherseits (Kempf), auf demselben Hof ansässig, lückenlos bis 1510 feststeht.« Und im Gespräch ließ der Philosoph 1950 scheinbar nebenher die aufschlußreiche Bemerkung fallen, die der Gegend die Aura philosophischer Begnadung verleiht: »Auch Kants Großmutter stammt von hier.«[27]

Der Rückgriff auf die Sprache der Lutherzeit und darüber hinaus, der bewußte Vorsatz, in Stil und Denken einen Zustand zu erreichen, »der dem vor der Latinisierung des Deutschen entspreche«, sind eine Rückkehr zu den Müttern im eigentlichen Sinn des Wortes, zu jenem »Märchengarten der Ahnin«, der ihn auch in einem Gedicht Stefan Georges faszinierte und seiner Interpretation würdig schien: »Und harrte, bis die graue Norn / den Namen fand in ihrem Born.«[28]

Mit der bäurischen Zähigkeit und dem Imperialismus, der ihm eigen, verheimatlicht Heidegger zuletzt den Begriff. Die ›Gegend des Wortes‹, eine ›rätselhafte Gegend‹ wird als ›Gegnet‹ mit dem lokalen Meßkircher Ausdruck für Gegend identifiziert, der wortspielerisch ausgeweitet die ›Gegnet‹ als den Ort erscheinen läßt, der »den Menschen in ein Hören auf die Gegnet und in ein Gehören in sie vergegnet«.[29]

27 Deutsches Führerlexikon, Berlin, 1934, S. 180. (Biographische Angaben über die führenden Persönlichkeiten des 3. Reichs, unter Verwendung ihrer eigenen Hinweise.) – Zitiert bei Guido Schneeberger: *Nachlese zu Heidegger, Dokumente zu seinem Leben und Denken*, Bern, 1962, S. 237.
28 Die zwei Gedichte Stefan Georges interpretiert von M. Heidegger in: *Unterwegs zur Sprache*, 1959, S. 162 und 194.
29 ›Gegnet‹ bei Heidegger: *Gelassenheit*, 1959, S. 50.

Der Vater taucht am Rande auf. Sein Beruf ist als »Dienst bei der Turmuhr und den Glocken« umschrieben, »die beide ihre eigene Beziehung zu Zeit und Zeitlichkeit unterhalten«. Der Sakristan der Stadtkirche St. Martin wird damit auf seine Weise zu einem Vorläufer von ›Sein und Zeit‹ umstilisiert. Zwischendurch ertönt seine Axt im Wald, bedächtig hantiert er in den Pausen seines Dienstes in der Werkstatt; der Geruch des Eichenholzes bleibt dem Jungen unvergessen. Und von der Kirche, an derem alten Glockenseil der Mesnerbub »sich oft die Hände heißgerieben«, haftet ihm das »finsterdrollige Gesicht des Stundenhammers« im Gedächtnis, nicht die mächtigen Grabplatten der Grafen von Zimmern, der einstigen Herren Meßkirchs, an deren Schloß, einem breiten Block mit vier Türmen, der Knabe vorbeikam, wenn er den Hofgarten hinunter in den Wald lief. Nürnberger Erzgießer haben die Riesenepitaphien der Grafen Gottfried Werner und Wilhelm (1558 und 1559) in der Kirche aufgestellt. Und die ›Zimmersche Chronik‹, die Graf Froben verfassen ließ und mitredigierte, fand zur Bismarckzeit schweinsledergebunden ihren Weg auf die Bücherborde der dunkelgetönten Herrenzimmer als Ausdruck einer Saft- und Kraftepoche, die die derb zupackende Vitalität des Meßkircher Menschenschlags mit zahlreichen Anekdoten aus der Sittengeschichte belegte.

Ein kulturelles Zentrum war so schon im 16. Jahrhundert geschaffen: Meßkirch ist zwar ein Flecken, ein Dorf, aber ein Dorf mit Herren und ihrer Stadtkultur – auf die Grafen von Zimmern folgten die von Helfenberg und zuletzt die Fürstenberg, bis 1806 der Ort durch Napoleon zu Baden geschlagen wurde, ohne im geringsten den schwäbischen Charakter zu verlieren. Hermann Heimpel notierte beim Durchfahren, daß lauter kleine Heideggers herumzulaufen scheinen, stämmig und schwarz, mit funkelnden Augen, in denen das ›Kuinzige‹ aufblitzt, eine Art hintergründigen Mutwillens, der vom Philosophen den Erden- und Himmelskräften zuge-

schrieben wird. »Die hat e knütz Paar Auge im Kopf«, heißt
es auch in der Gegend von Ulm. ›Knütz, keinzig, kuinzig‹
hat die Doppelbedeutung des französischen ›malin‹ – durch-
trieben, hinterhältig und neckisch, spaßhaft. Aufschlußreich ist,
daß das bauernschlau Gerissene und Schabernackische bei
Heidegger sofort ins Wagnerpathos gesteigert und der Schmied
aus den ›Nibelungen‹ bemüht wird: »Die wissende Heiterkeit (das Kuinzige) ist ein Tor zum Ewigen. Seine Tür dreht
sich in den Angeln, die aus den Rätseln des Daseins bei
einem kundigen Schmied einst geschmiedet worden.«[30]
Wie das Derb-Stramme sich mit erlesenem Manierismus ver-
binden kann, zeigen die Bilder des ›Meisters von Meßkirch‹,
jenes weiter nicht identifizierbaren ›Jerg‹, der ein Vierteljahr-
hundert hier als Maler der Grafen von Zimmern tätig war
und von dem nur ein einziges Altarbild in der Stadtkirche
verblieben ist; alle andern sind in Museen zerstreut. So der
Christophorus in Basel, der mit bloßen Beinen und Knoten-
stock eine grünlich schillernde Furt durchwatet. Die Rundung
des radförmig zurückgeschlagenen und gebauschten Mantels
mit dem Kreis der abgestuften Farben im Widerspiel zur
Weltkugel, in der oben auf der Schulter das Christuskind
eingeschlossen thront: das ist grünewaldisch gesehen, raffinierte Malkultur, das realistische Detail in ein Spiel von Farben verwandelt mit Echoeffekten, den Manierismen in Heideggers Stil nicht unähnlich, wenn auch mit einem ganz anderen Elan und im übrigen ohne jede unmittelbare Beziehung.[31]

30 Heidegger über das ›Kuinzige‹ in: Der Feldweg, o. c., 1949, S. 5. Vgl.
dazu das Schwäbische Wörterbuch von H. Fischer unter ›keinnützig‹, woraus in der Ulmischen Gegend ›knitz‹, anderswo ›keinzig‹ oder ›knütz‹
wird mit der Bedeutung von ›neckisch, mutwillig‹ (freundliche Bestätigung
für Ulm durch Herrn Dr. W. Prinzing, Württembergische Landesbiblio-
thek). – Vgl. auch G. Storz: Mörike, 1967, S. 369: »Knitz«. H. Heimpel
über Meßkirch in einem Privatgespräch, Paris, Frühjahr 1952.
31 Über den Meister von Meßkirch, cf. Thieme u. Becker, Lexikon der
bildenden Künste, 1907 sq. Neuere bibliographische Angaben bei H. Koepf,

Festeren Boden haben wir unter den Füßen mit den dahinpolternden Volkspredigten von Abraham a Santa Clara (1644 bis 1709), mit bürgerlichem Namen Ulrich Megerle aus Krenheinsstetten bei Meßkirch, auf den Heidegger im Gespräch als auf einen weitläufigen leiblichen Verwandten anspielte.

Die barocke Sprachfülle des Augustinermönchs (aus dem Schiller seinen Kapuziner in ›Wallensteins Lager‹ zurechtschnitt) kontrastiert freilich mit dem zähflüssigen Sprachrhythmus des Nachkommen. Aber innerhalb des fast pedantisch abgezirkelten Raums jongliert auch Heidegger mit den Worten und läßt die Bälle einander zufliegen, wie es spektakulärer – als eine Art billiger Jakob der bayrischen Jahrmärkte – der Hofprediger Ulrich Megerle zum Gaudium und zur Erhebung seines Massenpublikums in Wien getan hatte, als er zum Krieg gegen die Türken aufrief und Ludwig XIV., deren allerchristlichsten Verbündeten, grobianisch wild, wenn auch nicht ganz grundlos mit Schmähreden überhäufte, die ihm in rabelaisianischem Ausmaß zur Verfügung standen.

Wien gegen Paris – und Meßkirch in der Mitte als Ort des Widerstands gegen Überfremdung. Das scheinbar weltverlorene Dorf ist im Herzen Europas gelegen, auf der Völkerstraße, die seit altersher die Donau entlangzieht.

Chateaubriand, der französische Grandseigneur und Großschriftsteller mit der noblen Pose und dem Vibrato einer echten Schwermut, rollte auf ihr im Mai 1833 Prag zu, um dem exilierten Karl X. eine Botschaft seiner Getreuen zu überbringen, machte in Meßkirch Rast, sah sich die adretten Mädchen an und meditierte über die ›gallische Unmenschlichkeit‹ seines Postillons, ließ im Geist die Sturzwelle der

Schwäbische Kunstgeschichte IV, 1965, S. 94. – Die *Zimmerische Chronik*, 1. Ausg. 1866, 2. Ausg. 1881. – Hierzu B. R. Jenny: *Graf Froben Christoph von Zimmern*, Basel 1959. – Das Zitat von A. a Santa Clara (›Ja, ein fruchtbarer Baum‹) in: *Meßkirch gestern und heute*, o. c., im belanglosen Beitrag von W. Schussen: ›Meßkircher Genieluft‹.

Heere vorbeiziehen, die sich immer wieder von Westen her
ergossen hatten, bald siegreich, bald besiegt – die Niederlage
Ludwigs XIV. gerächt unter Napoleon durch die Entschei-
dungsschlacht Moreaus gegen die Österreicher 1800: der
Name Meßkirch prangt seither eingemeißelt unter den napoleonischen Siegen auf dem Triumphbogen, der von der An-
höhe der Champs-Elysées herab Paris dominiert.[32]
Wie die Meßkircher selbst die Kriegsläufte erlebt und gesehen haben, läßt sich aus den Bildern des dortigen Schlachten-
malers und tüchtigen Portraitisten Johann-Baptist Seele
(1774–1814) ablesen. Österreicher auf Wachtposten; ein ver-
wundeter General, der von ihnen in eine Hütte gebracht
wird; französische Grenadiere, die durch österreichische Hu-
saren aus ihrem Festschmaus gerissen werden; ein junges
Mädchen, das – im Waldbach überrascht – auf dem Pferd
des Franzosen davongaloppiert.
Der Friede ist geschlossen. Ein Lied steigt auf über die Weite
des Landes: ›Schon die Morgenglocken klingen‹, ›Das ist der
Tag des Herrn‹ und andere Chorgesänge von Conradin
Kreutzer, dem Meßkircher Müllersohn, der nach einer Jugend unten in den Priesterschulen Zwiefalten und Schussen-
ried seine Laufbahn als Opernkapellmeister in Stuttgart und
Donaueschingen begann, dann nach Wien berufen wurde und
dort Texte von Grillparzer und Raimund vertonte. Der Sieb-
zigjährige starb 1849 in Riga, als seine Tochter Marie wegen
Versagens der Stimme fristlos von der Oper entlassen worden war – ein E. T. A. Hoffmannscher Tod. Das Mühlen-
bachrauschen hört sein Biograph Anton Gabele durch all seine
Werke hindurchtönen, und Heidegger preist im gleichen Sinn
die heimatliche Verwurzelung des Komponisten als Mutterboden seiner ganzen Kunst. Als ob nicht gerade Kreutzer, der
seine Stellungen immer wieder wechselte und kreuz und quer
durch Deutschland zog, auf seine Weise der Typ des Fahren-

32 Chateaubriand: *Mémoires d'outre-tombe*, 17. Mai 1833. – Dazu die
Notiz vom 19. Mai. (Ausg. Levaillant, 1948, IV, S. 181 sq., 187.)

den gewesen wäre, dessen Sinn für volkstümliche Melodie durch die Zauber- und Spektakeltradition der Wiener Bühnen angereichert wurde; auch seinem Hauptwerk, dem ›Nachtlager in Granada‹ (Wien 1834) hat sie die zugkräftige, spanisch-maurische Räuberromantik vermittelt, ohne den Mangel an Genie zu kompensieren.[33]

Conradin Kreutzer und Johann-Baptist Seele stehen niveaumäßig auf der gleichen mittleren – sehr mittleren – Linie. Klaftertief unter ihnen der Bauernsohn und Volksschullehrer Anton Gabele aus Buffendorf bei Meßkirch, der Typ des durch die Zeit emporgeschwemmten Schollendichters, der auch als Studienrat in Köln der Heimaterde verschworen blieb, das tote Wissen der humanistischen Gymnasien verdammte und im Roman ›Pfingsten‹, 1934, seinen jungen Helden, einen Oberprimaner, den die Stadt schon auszuleeren drohte, durch den Enkel eines Müllers für die ›Erweckung‹ heranreifen läßt: »Eine Front der jungen Männer, eingeschmolzen in das Erlebnis einer neuen Gemeinschaft, offen dem Wehen des neuen Geistes ... Da war *ein* Schritt, *ein* Lied, *eine* Begeisterung. Und da war die Gestalt des Führers, der tiefer sah als alle, weil er mehr als die übrigen mit der Natur und dem Herzen des Volkes verbunden blieb, der immer dem Zuverlässigen, Klaren nachstrebte und rastlos, selbstlos sich für sein Land verzehrte.«

Den Hymnen Gabeles auf das neue Volk unter dem Führer mit dem stählernen Willen und dem reinsten Herzen entsprechen die Manifeste Heideggers so gut wie die Aufrufe Conrad Gröbers, der – freigebig mit Hitlergrüßen und ge-

33 Über J. B. Seele cf. W. Fleischhauer u. a.: *Die schwäbische Kunst im 19. und 20. Jahrhundert*, 1952, S. 82–87. – Dazu die Angaben im *Lexikon d. bild. Künste* von Thieme u. Becker, o. c. – Über C. Kreutzer sehr fundierter Artikel v. Wolfgang Rehm in: *Die Musik in Geschichte u. Gegenwart*, Kassel 1958, Sp. 1774–1780. – R. Roßmayer: *C. K. als Opernkomponist*, Phil. Diss. Wien, 1928. – H. Burkhard: *C. K.'s Ausgang*, in ›Schriften des Vereins f. Gesch. d. Baar‹ XIV, 1920, S. 118–130.

meinhin ›der braune Conrad‹ genannt – noch zum Konkordatsabschluß im Dankesgottesdienst mit »unerschütterlichem Vertrauen sich hinter den Führer« stellte.[34]

Die drei Meßkircher hatten schon mit der Muttermilch eine Ideologie eingesogen, die eine gängige Form des katholischen politischen Denkens in Deutschland darstellte: die Lehre von den organischen Bindungen, den Glauben an Autorität, Gemeinschaft, ständische Gliederung, den Haß gegen die Aufklärung und ihr Teufelswerk, Gesellschafts- und Staatsvertrag, Volkssouveränität, Individualismus.

»Die Wissenschaft vom Volk muß die historisch-politische Grundwissenschaft werden, denn Volk ist unmittelbares naturhaftes Wirken«, proklamiert Martin Böhm in seinem Buch ›Das eigenständige Volk‹, 1932, und der einflußreiche Abt von Maria Laach, Ildefons Herwegen, präzisierte 1932: »Weil der Führer, aus der Einsamkeit des Dienens und Opferns heraus, getragen von einem unbeirrbaren Glauben an das deutsche Volk, dieses wieder zu freudigem Bekenntnis zu sich selbst gebracht hat, ist er zu Millionen gewachsen. Auf den Glauben des Führers an das Volk antwortete die Gefolgschaft des Volkes. Die treue Gefolgschaft allen gegenüber dem Einen schafft ein neues Gemeinschaftserlebnis, das unser Volk zurückfinden läßt zu den letzten Wurzeln seiner Gemeinsamkeit: zu Blut, Boden und Schicksal.«[35]

»Tiefbekümmert« hatte Conrad Gröber – aus einem Bauern- und Handwerkergeschlecht in Meßkirch 1872 geboren – schon vor dem ersten Weltkrieg »die zunehmende Entwurzelung der süddeutschen Bevölkerung verfolgt, die ihren naturbedingten Stammescharakter mit einer bedenklichen Raschheit verlor.« Der Weltkrieg wurde für ihn das erste Pfingstwunder. Mit der gleichen Ergriffenheit wie hunderttausend andere – darunter Hitler – erlebt und schildert Gröber die

34 C. Gröber, cf. Anmerkg. Nr. 23.
35 Der Text von Ildefons Herwegen zitiert in der Studie über den *Deutschen Katholizismus 1933* von Böckenförde, Hochland, 1960, S. 228.

Verschmelzung Deutschlands zu einer neuen, durch Vaterlandsliebe religiös zusammengeschweißten Gemeinschaft. Sein ›Handbuch der religiösen Gegenwartsfragen‹, 1937, versichert gleich zu Anfang: »In der gegenwärtigen Schicksalsstunde unserer Nation stellen sich die Leiter der Kirche in besonderer Treue an die Seite der Männer des Staates, entschlossen zur einigen Abwehr des gemeinsamen Feindes.«

»Arbeite als ein guter Kriegsmann Christi«, ruft er auch in seinem Hirtenbrief von 1939 den ausziehenden Soldaten zu: »So lebt ihr aus dem Volk. Das Volk hinwiederum durch euch. Soldatentod ist Opfertod.« Aber die Zustimmung ist nur noch eine sehr bedingte. Eine Kehrtwendung hatte sich inzwischen vollzogen: »Religion ist grundsätzlich etwas Anderes als Mythos ... Religion ist nichts wesentlich Irrationales und lediglich Trieb- und Naturhaftes, das wie eine Art Ausdünstung aus dem Rassewesen aufsteigt, Religion will Wahrheit sein und nicht bloß ein blutbedingter Traum ... Religion will erklären und die Lebensfragen lösen und sie nicht noch mehr verdämmern und vernebeln.« »Schon die Stoiker und Peripatetiker haben den ›Hochwert der Persönlichkeit‹ hervorgehoben, als eines Wesens mit Verstand und freiem Willen und schiedlicher Abgrenzung.« Die Hirtenbriefe des Freiburger Erzbischofs wurden bis zu 100 000 Exemplaren verbreitet. – ›Grenzen der Vaterlandsliebe‹. – ›Recht ist, was nützet?‹ – ›Der Hochwert der Kranken‹. Der ›Fastenhirtenbrief zur Vollendung des 70. Lebensjahres‹ schließt pathetisch mit dem Ausruf, der Bischof sei für Glauben und Gemeinde zu sterben bereit, und schleudert gegen die Herren der Zeit das Droh- und Spottwort aus dem Alten Testament: »Wie singt der Psalmist: Was toben die Heiden und schmieden eitle Pläne. Der im Himmel thront, der lacht, der Herr verspottet sie.«[36]

36 C. Gröber in seiner Rückschau (Hirtenrufe ... o. c.) S. 140. – Die anderen Zitate S. 56 (Religion kein Mythos), S. 30 (der Mensch als Vernunftwesen), S. 146 (Worte des Psalmisten).

Die Zeit war längst vorbei, wo der 17 Jahre jüngere Heidegger von Conrad Gröber als von ›einem väterlichen Freund aus meiner Heimat‹ sprechen konnte. Gröber hatte ihm 1907 eine Schrift von Franz Brentano in die Hand gegeben, die ungewollt seinen Abfall von der Theologie auslösen sollte. Noch einmal schien die Zeit der Gemeinsamkeit gekommen, als beide – zusammen mit Anton Gabele – von der Einwurzelung ganz Deutschlands in eine neue Volks-Gemeinschaft träumten, predigten, donnerten.[37]

Gewiß haben auch 1914 alle deutschen, ja alle europäischen Schriftsteller, mit Ausnahme von einem halben Dutzend unbeirrbar klarer Männer in den jeweiligen Lagern mitdeliriert – selbst Rilke, Musil, Döblin, Stefan Zweig, von R. A. Schröder und Thomas Mann ganz zu schweigen.[38] Aber die Ernüchterung kam für die einen rasch; für die andern hatte der Rausch nie jene Sprachverluderung nach sich gezogen, die Heidegger sich im Schlamm der Radau-Schlagwörter wälzen ließ – ein Phänomen, das schon vom Sprachlichen her genaue Beachtung verlangt.

»Der Mensch spricht erst, insofern er jeweils der Sprache entspricht«, hat Heidegger geschrieben.[39] In der damaligen Phase entsprach seine Sprache ganz einfach dem Gauleiterjargon. Weder von Mallarmé noch von Spinoza, Kant, Schopenhauer ist ein solches Auslöschen ihrer selbst denkbar. Und wo Leibniz oder Hegel Zugeständnisse an die Machtpolitik machten, taten sie es wenigstens auf ihre Weise, in ihrem Stil und mit Verklausulierungen, die von vornherein zurückzu-

---

37 Heidegger über Gröber als ›väterlichen Freund‹ zitiert bei Swiridoff: *Porträts aus dem geistigen Deutschland,* 1966. S. 175.
38 Stefan Zweigs Kriegsbegeisterung und sporadischer Frankreichhaß cf. *Die Insel* (Katalog einer Ausstellung, Deutsches Literaturarchiv, Schiller-Nationalmuseum, Marbach, 1966, S. 174. Dort auch eine Reihe anderer Dokumente). – Rilke: *Fünf Gesänge,* August 1914. Mit Kommentar in: *Gedichte,* Bd. 2, Insel 1957. – Musil und Döblin im Kriegheft der ›Neuen Rundschau‹, Dezember 1914.
39 Heidegger: *Hebel – der Hausfreund,* o. c., S. 34.

nehmen imstande waren, wofür sie sich eben zu engagieren schienen.

Die drei Meßkircher hatten sich zusammengefunden im Glauben an den »Aufbruch einer geläuterten und in ihre Wurzeln zurückwachsenden Jugend«, wie Heidegger damals schrieb, »an die Macht der tiefsten Bewahrung der erd- und bluthaften Kräfte eines Volkes als Macht der innersten Erschütterung seines Daseins.«[40] »Die abgelebte Scheinkultur ist zusammengestürzt ... Wir haben uns losgesagt von der Vergötzung eines boden- und machtlosen Denkens«.[41] »Wir sind entschieden und entschlossen« – rasselte es beim späteren Hebel-Interpreten weiter – »den schweren Weg zu gehen, den wir durch die Verantwortung vor der Geschichte zu gehen gezwungen sind ... Es gibt nur den einen Willen zum vollen Dasein des Staates. Diesen Willen hat der Führer im ganzen Volk zum Erwachen gebracht und zum einzigen Entschluß zusammengeschweißt ... In dem, was dieser unser Wille will, folgen wir nur dem überragenden Wollen unseres Führers. In seine Gefolgschaft treten, heißt ja: unerschütter-

---

40 Bekenntnis zu A. Hitler, 11. November 1933. – Die politischen Texte sind durch die umfassenden und dankenswerten Bemühungen von Guido Schneeberger jetzt allgemein zugänglich und P. Hühnerfelds Hinweise ›In Sachen Heidegger‹, 1959, überholt. Das erste Bändchen, im Selbstverlag des Autors 1960 erschienen (Bern, Hochfeldstr. 88), trug den Titel *Ergänzungen zu einer Heidegger-Bibliographie* (27 S.). Der zweite Band heißt: *Nachlese zu Heidegger. Dokumente zu seinem Leben und Denken.* Bern, 1962 (288 S.). Einige Bildtafeln vervollständigen das Ganze. – Zitat ›Aufbruch‹: bei Schneeberger S. 149. – Von französischen Arbeiten, die die politische Ideologie Heideggers beurteilen, seien genannt: A. Koyré (in: *Critique*, Nr. 1 und 2, 1946); Eric Weil u. A. de Waehlens (in: *Les Temps modernes*, Juli 1947); G. Friedmann (*Cahiers de sociologie XVI*, 1954, und *Mélanges Lucien Febvre*, 1954). Pro Heidegger: F. Fédier (in: *Critique*, Nr. 234 u. 242).

41 ›Abgelebte Scheinkultur‹: Rektoratsrede: *Die Selbstbehauptung der deutschen Universität*, 1933. – ›Wir haben uns losgesagt‹: *Bekenntnis zu A. Hitler*, s. Nr. 40.

lich und unausgesetzt wollen, daß das deutsche Volk als Volk
der Arbeit seine gewachsene Einheit, seine einfache Würde,
seine echte Kraft wiederfinde. Dem Mann dieses unerhörten
Willens, unserem Führer Adolf Hitler ein dreifaches: Sieg
Heil!«[42] Diese und ähnliche Sätze stammen vom gleichen
Mann, der sich in einem Brief an den Reichsstudentenführer
(6. 2. 34) der genauesten Einblicke auch in die Regionalpoli-
tik rühmte: »Ich kenne die hiesigen Verhältnisse und Kräfte
seit Jahren bis ins kleinste« und der damit von selbst den
Einwurf weltfremder Ignoranz zurückweist.[43]

Hinter der Faszination durch den totalitären Staat stand bei
Heidegger – wie bei Gottfried Benn – die reaktivierte autoritäre Jugenderziehung: der starre Konservativismus bäu-
risch-katholischer Observanz bei dem einen, das preußisch-
protestantische Pfarrhaus bei dem andern.

Sie glaubten beide ›den‹ Ursprüngen nahe zu sein und waren
es nur den ihrigen.

Bei Benn allerdings war durch die Mutter aus der welschen
Schweiz ein auflockerndes Element hereingekommen und ein
weiteres durch das Leben in Berlin als Arzt und Künstler.
Heidegger hingegen gehörte als Universitätslehrer zu einer
Gesellschaftsschicht, deren reaktionär nationalistisches Credo
sich seit 1871 zusehends verhärtet hatte. Schon der klirrende
patriotische Bombast der Berliner Professorenschaft bei Ausbruch des ersten Weltkriegs zeugt von absoluter Blindheit
gegenüber den politischen Fakten und Hörigkeit gegenüber
den herrschenden Mächten. Auch in Frankreich hatte damals
der Chauvinismus der Universitätslehrer weitgehend rausch-
hafte Formen angenommen – ein Romain Rolland, der hin-

42 ›Wir sind entschieden . . .‹: Kundgebung im Universitätsstadion
17. Mai 1933, Schneeberger o. c., S. 42. – ›Es gibt nur‹: Rede zur Wahl
des Führers, 10. November 1933, Schneeberger, o. c., S. 144. ›In dem, was
dieser Wille‹: Nationalsozialistische Wissensschulung, 22. Januar 1934,
Schneeberger, S. 202.

43 ›Ich kenne die Verhältnisse‹, Schneeberger, o. c., S. 30.

ter dem Wortvorhang auf die nackte Realität zu zeigen wagte, wurde auf beiden Seiten niedergeschrien.[44] »Neu beflügelt in den Wettern des Weltkriegs« –, rief mit Wagner-Schwulst der Berliner Theologe Deissmann aus – »wird ein Wort, das uns anmuten darf wie die Weihe zu unserer deutschen Sendung: Ihr seid das Salz der Erde! Ihr seid das Licht der Welt!« Der Germanist Gustav Roethe proklamierte: »Deutsche Männer und Frauen! Das Wort möchte schamhaft verstummen in dieser Stunde, da nur Taten zu reden berufen sind, da Gott der Herr zu uns im Schlachtendonner spricht. Und doch, das Herz ist so übervoll; es drängt heraus, was in jeder Brust sich regt; es will sich formen zu Geständnissen, Gelöbnissen ... Wer diese Tage, diese Wochen durchlebt hat, der kann ihren heiligen Gewinn nicht wieder verlieren. Das ungeheure Erlebnis, es bindet uns zusammen, es reinigt uns, es erhebt uns, und es wird uns reinigen und läutern, so vertrauen wir, bis in fernste Tage, so lange die Erinnerung diese Schicksalstunde des Deutschen Reiches, des deutschen Volkes festhält.«[45]

In der Generation Heideggers – der Frontkämpfergeneration – ist der Stil schärfer, härter, zackig geworden; der Gott des Alten Testamentes tritt vor dem ehernen deutschen Schicksal zurück, der Schatten Wotans fällt herein, das Gastmahl König Etzels profiliert sich auf dem Hintergrund. Knallige Superlative, die immer wieder das Weite und das Tiefe zusammenbiegen wollen, sind eines der Kennzeichen der neuen Uniform – der Klempnerladen auf Görings Brust. So fordert Heidegger von den Studenten: »Bereitschaft bis zum Äußersten – Kameradschaft bis zum Letzten.« – »Euch

44 Romain Rolland: Journal des années de guerre 1914–1919, Paris, 1952. – Jetzt auch deutsche Übersetzung mit Vorwort von Albert Schweitzer.

45 Die Reden von Deissmann, Roethe und 10 ihrer Berliner Kollegen in: Deutsche Reden in schwerer Zeit, Berlin 1914. – Auszüge in der Studie von R. Gruenter: Verdrängen und Erkennen. Zur geistigen Situation der Germanistik. ›Monat‹, 197, Februar 1965, S. 16 sq.

verlangt dem Nächstbedrängenden und Weitestverpflichtenden ausgesetzt zu werden.« Das Volk seinerseits »fordert von sich und seinen Führern und Hütern die härteste Klarheit des höchsten, weitesten und reichsten Wissens.«[46]

Vom Führer heißt es mit Nibelungenhärte: »Der Führer erbittet nichts vom Volk. Er gibt vielmehr dem Volk die unmittelbarste Möglichkeit der höchsten freien Entscheidung . . . Die Unerbittlichkeit des Einfachen und Letzten aber duldet kein Schwanken und Zögern. Diese letzte Entscheidung greift hinaus an die äußerste Grenze des Daseins unseres Volkes.«[47] Wenn Heidegger den neuernannten Gauleiter Badens telegraphisch mit einem »kampfverbundenen Sieg-Heil« begrüßte, so war das mehr als nur die übliche Formel: Heidegger hatte sich der Sprache verschrieben, die von Göbbels bis in die letzten Stunden geschmettert wurde: »Voraussetzung ist, daß jeder Häuserblock, jedes Haus, jedes Stockwerk . . . bis zum Äußersten verteidigt wird . . . daß jeder Kämpfer vom fanatischen Willen zum Kämpfen-Wollen beseelt und durchdrungen ist, daß er weiß, daß die Welt mit angehaltenem Atem diesem Kampf zusieht und daß der Kampf um Berlin die Kriegsentscheidung bringen kann« (›Befehl für die Verteidigung der Reichshauptstadt‹).

1914 hatte Deissmann »in tiefer Dankbarkeit Zeugnis von der Offenbarung des deutschen Gottes in unserm heiligen Krieg abgelegt«. Bei Heidegger wird zwanzig Jahre später das »Arbeitslager die Stätte einer neuen unmittelbaren Offenbarung der Volksgemeinschaft – als Quelle jener Kräfte, durch die alle andern Erziehungsmächte – zumal die Schule – zur Entscheidung gezwungen und verwandelt werden«.[48]

46 Zitate: ›Bereitschaft‹: Rede im Universitätsstadion, cf. Nr. 42. – ›Euch verlangt‹: Rede an die Studenten 3. November 1933. – ›Das Volk fordert‹: Rektoratsrede.

47 Führerrede vom 10. November 1933, Schneeberger, o. c., S. 144.

48 ›Arbeitslager als Offenbarung‹: Arbeitsdienst und Universität, 20. Juni 1933, Schneeberger, o. c., S. 63/64.

Solchen Offenbarungen gegenüber wirkt die Vernunft zersetzend. »Das Denken ist kein Mittel fürs Erkennen«, heißt es noch heute bei Heidegger, »das Denken zieht Furchen in den Acker des Daseins.« Nietzsche muß als Kronzeuge eine ähnliche Metapher aus dem Bauernleben beisteuern: »Unser Denken soll künftig duften wie ein Kornfeld am Sommerabend. Wie viele haben noch Sinn für diesen Duft?«[49] Den Duft des Heus verwechselte Heidegger mit penetrantem Bodengeruch. Seine nazistischen Verlautbarungen stehen in direktem sprachlichen Konnex mit Mathilde Ludendorffs Offenbarungen: »Deutsches Gotterkennen, das den Sinn des Menschenlebens enthüllt, kann den Deutschen mit seinem Volke in eine unlösliche Volks- und Schicksalsgemeinschaft verwurzeln.«[50]

Ein derartiger Niveauabsturz war nur möglich, weil der Verfasser von ›Sein und Zeit‹ als Denker von Meßkirch sich angeheimelt fühlte, ›angesprochen‹ und ›angerufen‹ von der Ideologie, die hinter diesen Vergleichen stand und die mit gezinkten Karten das Urbild vom unverfälschten, wurzelechten, harten, zähen, herrenmäßig unabhängigen und zugleich gläubig dem Ganzen dienenden Bauern aufstellte.

Das heimatliche Dekorum wird sichtbar im ›Feierspruch zur Sommersonnwende‹, den Heidegger im Juni 1933 vor den Studenten hielt: Kolbenheyer und Weinheber, Anton Gabele sind hier ganz nahe, auch das alte Kommersbuch-Lied von J. H. Nonne tönt herein:

> »Flamme empor! Steig mit loderndem Scheine
> glühend empor! Siehe, wir stehen
> treu in geweihetem Kreise,
> dich, zu des Vaterlands Preise
> brennen zu sehen!«

---

49 ›Das Denken zieht Furchen‹ in: *Sprache*, o. c., S. 173. – ›Das Denken soll kräftig duften‹, ibid., S. 21.
50 Mathilde Ludendorff: *Und du, liebe Jugend*, 1939.

Heidegger: »Die Tage vergehen, sie werden wieder kürzer. Unser Mut aber steigt, das kommende Dunkel zu durchbrechen. Niemals dürfen wir blind werden im Kampf. Flamme künde uns, leuchte uns, zeige uns den Weg, vor dem es kein Zurück mehr gibt. Flammen zündet, Herzen brennt!«[51]

Sich selbst hat Martin Heidegger damals im ›Kampfblatt der Nationalsozialisten Oberbadens: Der Alemanne‹, März 1934, in Szene gesetzt, wie er, beim Erhalten eines Rufs an die Universität Berlin, zum Nachdenken auf die Berge unter die Bauern des Schwarzwaldes pilgert – hinauf zu jener Hütte auf dem Todtnauberg, von der es heißt: »Wenn in tiefer Winternacht ein wilder Schneesturm mit seinem Stöhnen um die Hütte rast und alles verhängt und verhüllt, dann ist die hohe Zeit der Philosophie . . .«[52]

Hundings Hütte, Winterstürme wichen dem Wonnemond und der deutsche Wald – das hatte schon Gottfried Döhler zu einem anderen Kommersbuchlied über Wotan-Bismarck inspiriert:

> Geborgen tief in stillem Grunde,
> Träumt er von deutscher Herrlichkeit,
> Die Wipfel lauschen in der Runde,
> Wenn wild er raunt von Kampf und Streit,
> Er braust daher im Frühlingswetter,
> Durchblitzt des Sommers grüne Pracht,
> Er schreitet stumm in dürren Blättern
> Und liest im Sturm der Winternacht.

Der effektvolle Schluß des Textes von Martin Heidegger lautet: »Ich komme dabei zu meinem alten Freund, einem 75jährigen Bauern. Er hat von dem Berliner Ruf in den Zeitungen

51 Rede bei der Sonnwendfeier der Freiburger Studenten im Universitätsstadion, 21. Juni 1933. Schneeberger, o. c., S. 71. – Über das Thema der Flamme und des Feuerzaubers cf. auch die ausgezeichnete Studie von A. Schöne: *Über politische Lyrik im 20. Jahrhundert*, 1965, S. 12.
52 ›Warum bleiben wir in der Provinz?‹ *Der Alemanne, Kampfblatt der Nationalsozialisten Oberbadens*, 7. März 1934, S. 1. – Bei Schneeberger S. 216 sq.

gelesen. Was wird er sagen? Er schiebt langsam den sicheren Blick seiner klaren Augen in den meinen, hält den Mund straff geschlossen, legt mir seine treu bedächtige Hand auf die Schulter und – schüttelt kaum merklich den Kopf. Das will sagen: unerbittlich Nein!«

Eine Defregger-Szene im Karl-Schönherr-Stil, kantig und sentimental wie eine Rudolf-Herzog-Parodie von Robert Neumann, oder wie eine Stelle aus dem ›Wulfbauer‹ von Josepha Berens-Totenohl: »Bauerntum der Berge erbebt vom Zürnen der Wetter, aber es stürzt nur, wenn die Wurzel morsch, wenn kein Verklammern im Boden und keine Kraft zum Trotzen mehr ist.«[53]

Mit Bauern, Handwerkern und andern Schulkameraden hat auch Albert Schweitzer sich in seinem Heimatdorf auf elsässisch unterhalten. Es wäre ihm im Traum nicht eingefallen, einen unter ihnen zu fragen, ob er einen Ruf nach Oxford annehmen solle oder nicht. Wäre es dennoch geschehen, hätte die verlegene Antwort gelautet: »Das mußt Du doch besser wissen als unsereiner.« So denken und sprechen auch die Bauern in Hebels Geschichten, so dachte Hebel selber. Ein Leitsatz Schweitzers könnte von ihm stammen: »Ihrer letzten Bestimmung nach ist die Philosophie Anführerin und Wächterin der allgemeinen Vernunft.«[54] Und ein so dezidierter Sohn des aufklärerischen 18. Jahrhunderts wie Hebel, der für Andreas Hofer und die Freiheitskämpfer die gleiche instinktive Abneigung hegte wie Goethe, findet im Schlageter-Verherrlicher Heidegger seinen Lobredner!

Man darf annehmen, daß der Philosoph den Text über Schlageter nicht ohne weiteres in seine gesammelten Werke übernehmen wird. Und doch besteht eine innere Verbindung zwischen ihm und der Hebel-Rede.

Woher – hatte Heidegger im Superlativstil der Nazizeit

53 Josepha Berens-Totenohl, zitiert in der Studie von F. Schonauer: Deutsche Literatur im Dritten Reich, 1961, S. 90.
54 Albert Schweitzer: Verfall und Wiederaufbau der Kultur, 1923, S. 7.

gefragt – woher bei Schlageter »diese Härte des Willens, das Schwerste zu durchstehen? Woher diese Klarheit des Herzens, das Größte und Fernste sich vor die Seele zu stellen?« – Die Antwort hatte gelautet: »Aus dem Granit der Berge, aus der Herbstsonne des Schwarzwaldes« und war in die Aufforderung ausgeklungen: »Freiburger Student, laß die Kraft der Heimatberge dieses Helden in deinen Willen strömen! Freiburger Student, laß die Kraft der Herbstsonne des Heimattales dieses Helden in dein Herz leuchten!« Harter Wille und Schicksalshörigkeit werden wieder einmal jenseits der maßlos verachteten Vernunft gekuppelt: »Hier ging und stand Schlageter als Freiburger Student. Aber nicht lange litt es ihn. Er *mußte* ins Baltikum, er *mußte* nach Oberschlesien, er *mußte* an die Ruhr. Er durfte seinem Schicksal nicht ausweichen, um den schwersten und größten Tod harten Willens und klaren Herzens zu sterben.«[55]

Die gleiche alemannische Urkraft, die die problematische Existenz des verkrachten Studenten und Freiheitskämpfers Schlageter verklärend deuten sollte, muß zwanzig Jahre später auch Hebels Dichtertum deuten: »Die Säfte und Kräfte der heimatlichen Erde ... blieben in Hebels Gemüt und Geist lebendig.«[56] Der Stil hat sich gedämpft, ist demobilisiert, ist zivil geworden. Das Denkschema von der Verwurzelung in Heimat und Volkstum bleibt weiter bestehen. Hat Heidegger durch die Niederlegung seines Freiburger Rektorats im Februar 1934 und durch die Weigerung, an der üblichen Rektoratsübergabe teilzunehmen, »seinen politischen Irrtum bekundet«, wie es neuerdings in Publikationen über ihn heißt?[57] Die Rede, die er noch 1936 auf dem Alemannentag in Freiburg hielt, verlangt als sprachliche Bekundung ein nuancierteres Urteil.[57]

55 Rede über Schlageter am 26. Mai 1933, ›Freiburger Studentenzeitung‹, 1. 6. 1933. Schneeberger, S. 47 sq.
56 *Hebel – der Hausfreund*, o. c., S. 8.
57 So Swiridoff in seinem Band: *Porträts aus dem geistigen Deutschland*,

Ein Satz wie der folgende mag eine Spitze gegen die ›Partei der Bewegung‹ enthalten – aber man muß schon genau hinsehen, um die Spitze zu entdecken. »Echtes Sichverstehen der Völker hebt an und erfüllt sich mit dem einen: das ist die im schaffenden Wechselgespräche sich vollziehende Besinnung auf das ihnen geschichtlich Mitgegebene und Aufgegebene. In solcher Besinnung stellen sich die Völker auf das je Eigene zurück und bringen sich darin mit erhöhter Klarheit und Entschiedenheit zum Stehen.« Aber schon im schmissigen Wahlaufruf von 1933 hatte es geheißen: »Der Wille zur wahren Volksgemeinschaft ... schafft das offene Aufsich- und Zueinanderstehen der Staaten.« Und der Bombast übertönt auch 1936 die Verklausulierungen des Stils, der »angesichts der drohenden Entwurzelung des Abendlandes abermals den Einsatz jedes schaffenskräftigen Volkes fordert«. Wiederum wird die französische Philosophie als totes Vernunftdenken seit Descartes bloßgestellt, während die deutsche seit Leibniz organisches, lebendes Wissen geschaffen habe. Triumphierend sah der Philosoph vier Jahre später im französischen Zusammenbruch eine Bestätigung seiner Idee: nicht die Generäle, Descartes hatte den Krieg verloren![58] Meßkirch war am Frankreich Ludwigs XIV. und Napoleons I. gerächt.

Deutlicher als in der Rede zum Alemannentag läßt Heidegger in seinem ersten Hölderlin-Aufsatz, 1936, Befürchtungen durchblicken, die das Wesen der Sprache betreffen: die Sprache schaffe »erst die offenbare Stätte der Seinsbedrohung und Beirrung und so die Möglichkeit des Seinsverlustes, das heißt Gefahr«; muß doch »das wesentliche Wort sogar, um verstanden zu werden und für alle ein gemeinsamer Besitz zu

1966, S. 176. Die Anmerkungen zu diesen hervorragenden Photographien stammen weitgehend von den verschiedenen Autoren selber. – Die anschließend zitierte Rede auf dem Alemannentag in Freiburg ist unter dem Titel ›Wege zur Aussprache‹ im Band *Alemannenland*, o. c. 1937 erschienen. Der Text jetzt auch bei Schneeberger, S. 258 sq.

58 Zitiert bei A. Schwan: *Politische Philosophie im Denken Heideggers*, o. c., S. 141.

werden, sich gemein machen«.[59] Das ist zwar auf Hölderlin bezogen, aber Eingeweihte werden es heute ohne weiteres auf den Sprecher selbst anwenden. Wie gemein er sich mit dem Göbbelsjargon gemacht hatte, haben die Kostproben gezeigt. Es bestand immerhin auf philosophischem Gebiet ein Gradunterschied zwischen dem, was er als die Vernunft bekämpfte und was Göbbels als den Intellekt brandmarkte, die NS-Lehrerinnen als ungesunden Intellektualismus ablehnten und die deutsche Drogistenzeitung gereimt verwarf:

> »Hinweg mit diesem Wort, dem bösen,
> Mit seinem jüdisch grellen Schein,
> Wie kann ein Mann von deutschem Wesen,
> Ein Intellektueller sein?«[60]

Alexander Schwan hat in einer scharfsinnigen, äußerst genau fundierten Analyse von Heideggers politischem Denken nachgewiesen, daß einerseits sein Anschluß an den Totalitarismus als Konsequenz seines Denksystems zu begreifen ist; daß aber anderseits »die Übereinkunft zwischen Nationalsozialismus und Heideggerschem Denken im Ausmaß des Jahres 1933 nicht von Bestand sein konnte, wenn Heideggers Philosophie sich nicht selbst aufgeben wollte, so sehr auch die Bejahung des Führerstaates zunächst in ihr selbst angelegt war«. Diese allmähliche, verklausulierte und gelegentlich sogar wieder in Frage gestellte Abkehr von seiner inneren und äußeren Zustimmung zum Nationalsozialismus erbrachte in der Folgezeit nun aber nicht etwa eine Hinwendung zu andern politischen Positionen: »Die Abkehr verschärfte sich vielmehr zu einer Abkehr von der Politik des Zeitalters in allen ihren Formen überhaupt«.[61]

59 ›Hölderlin und das Wesen der Dichtung‹, zuerst in *Das innere Reich*, 1936, S. 1065–1078. Jetzt auch in: *Hölderlin, Beiträge zu seinem Verständnis*, Hg. A. Kelletat, 1961.
60 Drogistenzeitung: zitiert in: *Der Deutsche in seiner Karikatur*, Hg. F. Bohne u. a., Stuttgart, o. J. (1965?).
61 A. Schwan, o. c., S. 100, 105/106. – Ch. von Krockow deckt in: *Die Entscheidung*, 1958, ein Netz von inneren Beziehungen Heideggers zu

Der Schmetterer war zu einem Leisetreter geworden. Er, der eben noch als Talmi-Zarathustra den Studenten geboten hatte: »Lernet immer tiefer zu wissen: von nun ab fordert jedwedes Ding Entscheidung und alles Tun Verantwortung«, er, der nicht genug von »Einsatz bis zum Letzten« hatte schwelgen können, hat nie ein einziges seiner politischen Worte zu verantworten je für nötig befunden. Das kann als souveräne Geste bewertet werden, als die ›wissende Heiterkeit‹ des Ur-›Kuinzigen‹, und dem Ratschlag entsprechen, den Albert Schweitzer mir einmal auf elsässisch gegeben hat: »Wenn dem Bauer sein Nastuch in die Mistlache gefallen ist, putzt und scheuert er nicht daran herum und macht sich damit nur dreckig, er tut es wortlos beiseite und geht weiter.«

Vielleicht genügt dem Philosophen die Erinnerung daran, daß er sich im Verlauf seines Rektorats geweigert hat, zwei Kollegen wegen Anti-Nazismus abzusetzen, und lieber im Februar 1934 selber zurücktrat; vielleicht stehen noch ähnliche Aktionen auf seinem Konto. Zu einem Rechenschaftsbericht fühlt er sich so wenig verpflichtet wie einst Stefan George (beide hierin in völligem Gegensatz zum Hanseaten, citoyen und Weltbürger Thomas Mann – von seinem Bruder Heinrich Mann ganz zu schweigen). Und doch hatte Heidegger die Öffentlichkeit in seinen Manifesten direkt angesprochen und zum Teil mitgerissen. Seine bisherigen Berichtigungen – an die ›Zeit‹, an den ›Spiegel‹ – betreffen Nebensächliches, sind kurz, bissig und in schlechtem Sinn jesuitisch: der Bruch mit Husserl sei nicht von ihm ausgegangen; nicht er habe ihm das Betreten der Universität verboten – Hebel wäre zusammengezuckt.

Doppelt stupend bleibt ein solches Verhalten, wenn man bedenkt, wie auch weiterhin das ›Wort‹ im Mittelpunkt von Heideggers Betrachtungen steht. Allerdings das ›dichterische‹ Wort. Die fatale politische Vergangenheit ist ausgeklammert;

Ernst Jünger und Carl Schmitt auf, bleibt aber unzureichend. – Antwort Heideggers an die ›Zeit‹, 24. 9. 53; an den ›Spiegel‹, 7. 3. 66.

zu Rechenschaft der ›Welt‹ gegenüber fühlt der Führer und Verführer der Jugend sich nicht verpflichtet. Moralische Indifferenz – ein Grundübel in den Augen Hebels – gehört vom Wesen her zur Philosophie Heideggers.

Die Vergangenheit kann in dieser Form nicht liquidiert werden. Das innere Reich, in das er sich zurückgezogen, läßt das Grundmuster durchschimmern, das seinerzeit den Anschluß ans äußere Reich überhaupt erst ermöglicht hatte. Zu den stilistischen Belegen, die angeführt wurden und die sich mühelos verhundertfachen ließen, seien nur noch zwei vermerkt.

Für den Heidegger des ›Feldwegs‹ von 1949 sind Bauern »Hörige ihrer Herkunft, nicht Knechte von Machenschaften«. Die Primitivität der Behauptung wird durch den Zauberspruch Wagnerscher Observanz mühsam überdeckt; ihr bewußtes oder unbewußtes Vorbild bleibt der Leitsatz: »Bauer sein, heißt frei sein und kein Knecht oder Höriger«, den Walter Darré seiner Schrift ›Das Bauerntum als Lebensquell der nordischen Rasse‹ zugrunde gelegt hatte. Einem andern Heimat-Lieblingswort Heideggers, der ›Hege‹, hat der gleiche Reichsbauernführer Rechtsgültigkeit zu geben unternommen, als er den Namen ›Hegehof‹ für die neuen bäuerlichen Erbsitze vorschlug mit der Begründung: »In diesem Wort kommt das Hegende an Blut und Boden unmißverständlich zum Ausdruck«.[62]

Von Hitler ist der Führeranspruch ebenso diktatorisch auf Hölderlin übergegangen. Was über diese Umbiegung zu sagen ist, hat meine Hölderlin-Studie angedeutet. Eine ›Ursprünglichkeit‹ Heideggers läßt sich auch hier nicht feststellen. Die Furchen seines Denkens sind ausgefahrene Gleise, auf denen sich seit Stefan George und seinen Jüngern eine reichsbesessene Germanistik mit antiliberalen Affekten in hellen Scharen tummelte. Die Belege hat H. J. Schrimpf zusammen-

62 W. Darré: *Das Bauerntum als Lebensquelle der nordischen Rasse*, 1933, S. 277. – Zitat über den ›Hegehof‹ in: C. Berning: *Vom Abstammungsnachweis bis zum Zuchtwart. Vokabular des Nazismus*, 1964, S. 101.

gestellt: von Kurt Hildebrandt und Walter F. Otto bis Alfred Baeumler überall die gleiche mythische Schau von Hölderlin als dem »Erfüller des deutschen Volksgeistes und Führerprinzips«, dem »Überwinder eines westlich überfremdeten rationalistischen Idealismus«, dem »Erneuerer eines germanisch-frühgriechischen Mythos aus den Wurzelgründen des menschlichen Wesens her«.[63]

Neu ist bei Heidegger nur die manierierte Ausdrucksweise, ein Kennzeichen seiner Spätphase. Über den Hölderlin der ›Letzten Hymnen‹ heißt es: »Hölderlins Kehre ist das Gesetz des dichtenden Heimischwerdens im Eigenen aus der dichtenden Durchfahrt des Unheimischseins im Fremden«.[64] Die gleiche Entdeckung hatte vor Heidegger Alfred Baeumler, der patentierte Philosoph des Dritten Reichs, gemacht und sie nur einfacher ausgedrückt: »Hölderlins Weg ist der Schicksalsweg des deutschen Geistes: über Hellas findet er nach Germanien zurück.« In die preziöse Ausdrucksweise Heideggers wird wie immer das Heimatliche eingebaut, diesmal in Form der ›Kehre‹ als Reminiszenz an die Kehren der Schwarzwaldstraßen: auch das macht den Irrtum nicht zur Wahrheit, sondern verdunkelt den Tatbestand für Uneingeweihte und läßt sie im Gefühl erschauern, hier spräche auf Gipfelhöhen der Denker mit dem Dichter. Hellas, das alte und das neue Deutschland sind in Eintracht beisammen.

Hölderlin ist der Maximin Heideggers geworden. Auch er zum Gott verleibt, auch er in Epiphanie, Parusie und Advent entrückt.[65] In den rigoros gehüteten Tempelbezirk werden nur drei oder vier andere Erwählte deutscher Zunge einge-

63 H. J. Schrimpf: *Hölderlin, Heidegger und die Literaturwissenschaft* in: ›Euphorion‹, 51. Bd., 1957, S. 308–323.
64 ›Hölderlins Kehre ist das Gesetz‹ in: Heidegger: *Andenken* (Hölderlin-Gedenkschrift 1944, S. 274). Dazu auch die große Studie von Peter Szondi: *Hölderlins Brief an Böhlendorff* (v. 4. 12. 1801) in: *Hölderlin-Studien*, 1967.
65 Cf. dazu die ausgezeichnete Studie von K. Gründer: *Heideggers Wissenschaftskritik in ihren geschichtlichen Zusammenhängen.* Archiv für Philosophie, Stuttgart, XI, 1–2, S. 312.

lassen: Hebel als Schwarzwälder Bruder minderer Art; aus unserer Zeit Trakl, Gottfried Benn und nicht zuletzt George. Alle andern Dichter und Denker durch die Jahrtausende als wesensfremd verdächtigt, mit dem gelben Stern der Seinsentfremdung behaftet, Goethe voran. Literaturgeschichte, Kulturgeschichte, Ästhetik werden ausradiert, Dichtung ist zur sektiererischen Privatreligion geworden.

Das lenkt den Blick auf einen andern Aspekt der realen ›Ursprünge‹ Heideggers.

Die chiliastischen Schwärmer, die in Schwaben gerade auf den Dörfern unter dem Landvolk immer wieder ins Kraut schossen, mischten von jeher Zahlen und Wörter wie andere die Karten; kabbalistische Spekulationen sickerten besonders seit Reuchlin allenthalben durch. In Napoleon erkannten so die Michelianer, die Anhänger des Bauern Michael Hahn, ohne weiteres den ›Apollyon‹ wieder, den die Johannesapokalypse als den Weltenherrscher vor dem Untergang und der glorreichen Wiederkunft des Menschensohns bezeichnet. Von andern Sektierern wurde das Wort Ros (I. Mos. 46,21) auf die Russen gedeutet, und Moskau mit Masach (I. Mos. 10,2) identifiziert.[66] Heidegger liest und deutet das Heilsgeschehen nach der Apokalypse eines sakralisierten Hölderlin. Der einstige Priesterzögling kommt um das Sakralisieren nicht herum, sei es auch ein häretisches, das die ganze Kulturentwicklung als regressiv verwirft, die ›Mauerkirche‹ und Schulphilosophie verdammt und nur vom Urzustand der Frühe das Heil der Zukunft erwartet.

Daß er dieses Heil eine Zeitlang vom Hitlerstaat erwarten konnte, verweist auf die Ursprünge des Mannes von Braunau am Inn. Friedrich Heer hat ihn vielleicht nicht zu Unrecht im Zusammenhang mit den »religiösen und politischen Sektierern zwischen Inn und Waldviertel gesehen«, wo »das Niedervolk einen Jahrhunderte latenten Haß gegen seine Unterdrückung durch ›Rom‹ und ›Habsburg‹, Kultur, Ratio und

66 H. Hermelink: *Geschichte d. evangel. Kirche in Württemberg,* 1949.

Fides der ›Herrschaften‹ nährte und in Erweckungsbewegungen durchbrechen ließ«.

Der französische Geisteswissenschaftler Jean-Pierre Faye, ein Haupt der literarischen Avantgarde, hat seinerseits betont, welchen Einfluß auf Hitler in Wien die abstruse Ideologie eines Lanz von Liebenfels, des Begründers der Zeitschrift ›Ostara‹, ausgeübt habe. Auch für diesen Mystagogen ist die Weltgeschichte die Geschichte eines Verfalls, aber eines Rasseverfalls, aus dem Deutschland den Weg zur heilen Welt zurückzuweisen berufen sei. Verfall, Aufbruch, Wiederkehr, Urstand heißen auch hier die Etappen des Wegs. Die ganze ›völkische‹ Geschichtsdeutung – von Lanz bis H. St. Chamberlain und Ernst Krieck – bedient sich des gleichen Schemas, das Heidegger mit fundierteren Kenntnissen und geistiger Versiertheit auf Philosophie und Dichtung übertrug, nachdem er im Politischen Schiffbruch erlitten. Als verjudeten Simmelschüler und dekadenten Volksfremden hatte ihn der rabiate Ernst Krieck, eine Leuchte der nazifizierten Hochschulen, schon 1933/34 angeprangert und 1940 abermals den ›Irrweg‹ seines Denkens denunziert. Man kann bis in sprachliche Einzelheiten verfolgen, wie empfindlich Heidegger auf diese Anwürfe seines ›schlechtern Doppelgängers‹ reagierte. Die ›Holzwege‹ sind in gewissem Sinn eine Replik auf die ›Irrwege‹. Und die Wendung zum Volk in Form der Dorfgemeinschaft, die ideologische und sprachliche Wiedereinwurzelung in Meßkirch sind die noch frappantere Antwort an die Adresse jener, die den Philosophen als unbehausten Nihilisten hingestellt hatten. Die feste Burg ist die ›Heimat‹ geworden als Urzelle, die den Menschen im Ursprung der Herkunft heimisch werden läßt.[67]

---

[67] Friedrich Heer: *Europäische Geistesgeschichte*, 1953, S. 601. – Jean-Pierre Faye: *Attaques nazies contre Heidegger* (in der Zeitschrift ›Médiations‹, Été 1962, S. 137–154). Eine andere Studie, ebenfalls in ›Médiations‹, Automne 1961, unter dem Titel: *Heidegger et la Révolution*. Faye bereitet ein umfassendes Werk über die politische Problematik H.'s vor.

Kurz vor der Besetzung Freiburgs durch die Franzosen soll der zuletzt suspendierte Philosoph voll Besorgnis über die kommenden Tage den Weg zum Meßkircher Landsmann, einstigen Freund und späteren Gegner Conrad Gröber angetreten haben. Ein Augenzeuge versichert die Echtheit der Szene, der – falls sie authentisch sein sollte – eine gewisse Größe nicht abzusprechen ist. Der jüngere Meßkircher, durch die aufgerissenen Straßen der zerbombten Stadt am Winterabend in ein dunkles, kaltes Zimmer geführt, wo im Kerzenlicht die rote Soutane des schreibenden Erzbischofs aufleuchtet, wendet sich, als der Priester, die Arme ausgebreitet, ihn mit den Worten empfängt: »Martin, du kommst?« wieder zur Tür mit den Worten: »So nit«.

Verbürgt ist jedenfalls, daß der Kirchenfürst nach der Besetzung mit allen Mitteln versuchte, den Häretiker von der Universität fernzuhalten; verbürgt die Besorgnis der Franzosen, den berühmten Denker, der auch in Paris seine Anhänger hatte, nach Basel oder an eine andere Schweizer Universität berufen zu sehen und sich damit eine ›geistige Blamage‹ zu geben.

Die Vorlesungen hatten noch größeren Zulauf als im Krieg. Polizeiliche Abgrenzung wurde nötig für die liturgisch monoton vorgetragenen Kollegien, die in ihrer Dialektik konzentriertes Fassungsvermögen voraussetzten, von der Menge kaum begriffen werden konnten und doch faszinierten. Die Aura, Willensstärke und geistige Besessenheit, die von Heidegger ausging, wirkte wie seinerzeit das Fluidum, das eine buntgewürfelte, mondäne Zuhörerschaft im Collège de France empfand, wenn Bergson, mit leicht geschlossenen Augen an die Wand gelehnt, fließend und ohne jede Notiz seine Philosophie vortrug.

Die Sprache kam jeweils dem Publikum entgegen. Bei Bergson unter dem glashellen Klassizismus der reinen Linie doch die tausendfach schillernden Farbspiele des Lebens wie auf den ›Nymphéas‹ von Claude Monet; bei Heidegger der furchenziehende, arbeitsharte, unwirsche Bauer, der die Weiten und die Wälder hereinzuholen schien, der starke Mann, der in einer zerschlissenen Zeit das Schicksal in seine raunenden Formeln zu zwingen unternahm. Verlorene Heimat schien in den Urlauten wieder aufzuleuchten wie die Zinnen des himmlischen Jerusalem. Ein Zuhörer – der Heimatschriftsteller Heinrich Berl – hat schon 1930 auf einem Kongreß, wo unter andern ›führenden Badenern‹ auch Martin Heidegger sprach, die Wirkung festgehalten, die von dieser besonderen Sprache ausging: »Von den eisigen Höhen der Abstraktion stieg er immer tiefer und tiefer zur Erde herab, und auf einmal hatte er den Sprung gewagt: Wahrheit und Wirklichkeit trafen sich auf dem Boden der Heimat. Dieses wahrhaft erschütternde Bekenntnis riß die Herzen aller mit. Jetzt waren wir einander näher gekommen«.[68]

Damit stellt sich die Frage nach dem Wert dieser Sprache und darüber hinaus nach dem Wert der Muttersprache wie Heidegger sie auffaßt.

Walter Benjamin, einer der tiefsten deutschen Kritiker, der im Exil vor die Hunde ging, während Heidegger mit vollen Backen den Führerstaat und die Härte des Daseins unter ihm feierte, schrieb 1927: »Die Autorität kommt Hebel nicht vom Dialekt, wohl aber von der kritischen, gespannten Auseinandersetzung des überkommenen Hochdeutsch mit der Mundart. Wie sich beide bei Hebel durchdringen, das ist der Schlüssel seiner artistischen Wesensart«.[69]

›Kritisch‹, ›artistisch‹ – die beiden Wörtchen sind undenkbar im Rahmen des Hebelkults, den Heidegger zelebriert: der Dichter hat für ihn kein Artist zu sein, er ist Priester im Mutterdienst der Sprache.

Dieser Überwertung von Mundart und Muttersprache seien summarisch ein paar Fakten entgegengehalten. Seit Jahrhun-

68 Heinrich Berl, zitiert bei Schneeberger, o. c., S. 12.
69 Walter Benjamin: *Schriften*, hg. von Th. W. Adorno und G. Adorno, 1955, Bd. 2, S. 279–283 (Text aus dem Jahr 1926).

derten gehen große Literaturen wie die englische und die
französische nicht von der Mundart aus, wie das in Stämme
aufgegliederte, zentrifugale Deutschland, sondern von der
literarischen Hochsprache, wie sie sich in den politischen Zentren London und Paris normativ herausgebildet hatte.

Anderseits haben die Dichter und Denker ganzer Epochen
ohne Schaden auf ihre Nationalsprache zugunsten einer übergeordneten Weltsprache verzichtet: zugunsten des Griechischen in der hellenistischen Zeit, zugunsten des Lateinischen
durchs Mittelalter hindurch bis an die Schwelle der Neuzeit.
Thomas von Aquin, Spinoza und hundert andere Denker
haben dabei so wenig ihre Persönlichkeit verloren wie Friedrich der Große, Katharina von Rußland und der Korse
Napoleon, als sie zu ihrer Zeit im Französischen das adäquateste Ausdrucksmittel für die Ideen ihres aufgeklärten oder
revolutionären Despotismus fanden. Die soziale Bindung der
Sprache war für sie entscheidend, nicht die nationale. Das
gleiche gilt von den Massen der Auswanderer in Amerika,
aus deren Kreisen in der zweiten Generation ein paar der
größten amerikanischen Dichter aufgestiegen sind. Das Beispiel von Chamisso in Deutschland, von Joseph Conrad in
England, von Nathalie Sarraute, Elsa Triolet und andern
Russen in Frankreich beweist, daß Dichter sich auch in einer
hinzugelernten Sprache verwirklichen können, obwohl der
Dichter einen sprachlich gefährdeten Extremfall darstellt.
Ihn als normativ für die Masse zu betrachten, wie es seit
Herder geschieht, verfälscht die Perspektiven von vorneherein.

Heute, wo die französische Sprache die übergeordnete Sprache in den ehemaligen Kolonien Afrikas und in Madagaskar
bleibt, ermöglicht sie nicht nur den politischen Zusammenhalt
zwischen den einzelnen Staaten, die sonst in die Zersplitterung der Stammessprachen zurückfallen und damit der kulturellen Regression anheimfallen würden – sie wird für eingeborene Dichter wie Leopold Senghor, Aimé Césaire und

andere das Vehikel originaler und zum Teil noch urtümlicher dichterischer Visionen, denen gegenüber das Alemannentum der Schwarzwaldbauern des 20. Jahrhunderts als ein längst genormtes, von Volkskundlern und Heimatdichtern zerebral aufgebauschtes und kommerziell propagiertes Kunstprodukt wirkt.

Käme es nur auf den Dialekt an, wären Hebels ›Alemannische Gedichte‹ (1803) nicht seit über 150 Jahren das einzige Werk von Bedeutung in dieser Sparte geblieben. »Der Dialekt im Alltag ist als solcher nicht in höherem Grade dichterisch als das umgangssprachliche Hochdeutsche«, schreibt Gerhard Hess in seiner schönen, fundierten Studie über Hebel, worin das Ineinander von Volksmäßigem und Kunstmäßigem, alter Volkssprache und klassischer Bildung als Wesenszug von Hebels Dichten bezeichnet wird.[70] Die ganze übrige – zahlenmäßig starke – Produktion in alemannischem Dialekt besitzt bestenfalls Regionalbedeutung. Aus dem gleichen Grund sticht auch in Norddeutschland Fritz Reuter von allen Dialektdichtern, selbst von Klaus Groth, ab. Den Inhalt von ›Kein Hüsung‹, ›Hanne Nüte‹ oder ›Ut de Franzosentid‹ als ›uneigentlich‹ zu betrachten, die Kraft der sozialen Darstellung und Anklage als Randphänomen zu erledigen, heißt Rückfall in die Antinomie von Inhalt und Form, deren Primitivität die Ästhetik längst ad absurdum geführt hat.[71]

Von der Mundart her haben auch Jakob Schaffner und Emil Strauß ihren ersten Romanen ein Kolorit und eine Frische verliehen, die Samuel Fischer, den Herausgeber Hermann Stehrs, mit Recht zur Übernahme ihres Werks bewogen. Heimat- und Sprachvergötzung ließ sie auf das Niveau eines

---

70 G. Hess: J. P. Hebel in: *Die großen Deutschen*, o. c., Bd. 2, S. 378 bis 386.

71 Heidegger: *Sprache und Heimat*, o. c., S. 115. – Heideggers Formel: »Das im dichterischen Sagen Gesagte hat keinen Inhalt, sondern ist Gebild« expediert allzu bequem den ›Inhalt‹ ins Jenseits und schließt *faktisch* bei ihm das Gebild im Elfenbeinturm Georges und der Symbolisten ein.

Ludwig Finckh und Anton Gabele herabsinken, während ihr einstiger Freund Hermann Hesse in ganz andere Horizonte hineinwuchs und zuletzt für Deutschland Weltgewissen und -vernunft repräsentierte. Daß Bert Brecht, der Augsburger mit der Schwarzwälder Vergangenheit und dem Vaganten-leben, als der wahre Erbe der Hebelschen Kalendergeschich-ten gelten kann, wird an einer anderen Stelle dieses Buches ausgeführt. Auch Kafka erscheint dort als europäischer Dich-ter in der Hebel-Nachfolge, ohne daß sein Werk von irgend-welchem Dialekt getragen wurde noch werden konnte: das Pragerdeutsch mit seinem jiddischen Unterton und den tsche-chischen Brocken war alles andere als Jungbrunnen und Kraftquelle.

Der Dialekt ist in Deutschland längst bedroht. Schon 1938 sprach ihn kaum noch 1/3 der Bevölkerung. Der Prozentsatz ist seit 1945 ständig zurückgegangen zugunsten der Umgangs-sprache, jenes »Wechselbalgs zwischen einer liederlich gespro-chenen Hochsprache und einer Menge hineingeschobener mundartlicher Brocken und Wendungen«, wie Willy Hell-pach es einmal formuliert.[72] Derselbe gute Beobachter weist darauf hin, daß bei der Mutation zum Industriestaat die deutsche Sprache – »neben der griechischen die mächtigste und geistigste zugleich«, nach Heideggers superlativistischem Ausspruch – gefährdeter ist als z. B. die französische, wo neben dem jeweiligen Dialekt, patois oder argot, die literari-sche Hochsprache sich seit Jahrhunderten richtunggebend durchgesetzt und ein allgemeines Sprachniveau geschaffen hat, das viel Originelles zwar eingeglättet haben mag, dafür aber auch eine ungleich robustere Widerstandsmöglichkeit gegen-über der ungezügelten Invasion einer radikal technisierten Welt an den Tag legt.

Daß für alle Länder diese Technisierung eine Sprach- und Ausdruckskrise von ungeahntem Ausmaß mit sich gebracht

72 Willy Hellpach: Der deutsche Charakter, 1954, S. 50 (Mundart, Um-gangssprache und Hochdeutsch).

hat, dafür zeugt das Werk der großen Dichter von Mallarmé bis James Joyce und Ezra Pound; ganze Bewegungen wie Dadaismus und Surrealismus sind Ausdruck dieser Krise und Ansätze zu ihrer Überwindung. Selbst im Osten beginnt die Alleinherrschaft des sozialistischen Realismus in Frage gestellt zu werden durch kritische Reflexionen über die mangelnde dichterische Tragfähigkeit einer reinen Pionier- und Ingenieursprache. Der Jugoslawe Sreten Maritch denkt hierüber nicht anders als der Italiener Paolo Pasolini und der Franzose Etiemble.[73]

Heidegger steht auch hier in einer Tradition. Er belastet sie mit der Grundvorstellung vom ewig zeitlosen Bauern und Bauernwesen – einem Leitbild, das dem 19., nicht dem 20. Jahrhundert zugehört und das schon dem gallischen Nationalismus eines Maurice Barrès seine regressive Virulenz gegeben hatte. Gegen den Leitbegriff von Barrès – die Einwurzelung – hat seinerzeit André Gide Argumente ins Treffen geführt, die gültig bleiben: Der Mensch ist keine Pflanze, Mobilität gehört zu seinem Wesen.[74]

Besondere Beachtung verdient die Einwurzelung oder Wiedereinwurzelung der deutschen Sprache im ›vorlateinischen Deutsch‹, für die der Philosoph immer energischer eintritt und für die sein eigener Stil Musterbeispiele zu geben versucht.

73 Sreten Maritch: in der Zeitschrift ›Critique‹, Paris, Nr. 131. – Pier Paolo Pasolini: *Ragazzi di vita, vita violenta* in der Zeitschrift ›Rinascita‹, Weihnachten 1964. Dazu die vehemente Polemik, die sich in der ganzen Presse im Anschluß an diese von A. Gramsci beeinflußte Sprachtheorie ergeben hat. – Etiemble: *Le franglais*, Paris, 1964, und *Le jargon des siences*, Paris, 1966. – Von Heidegger beeinflußt A. Portmann in: *Die Sprache im Schaffen des Naturforschers* (Jahrbuch 1965 der Dt. Akademie, S. 61–75), definiert aber auf subtilere Weise die Muttersprache als Ausdruck für den Mediokosmos, in dem der Mensch lebt. – Martin Walser: *Über unseren Dialekt*, Neue Zürcher Zeitung, 24. 6. 67.

74 Zur ersten Orientierung über Barrès cf. die Monographie von J. M. Domenach, 1954. – Zahlreiche Bemerkungen über Barrès in den Tagebüchern von André Gide.

Hat Heidegger die Werke des rabiatesten Vorkämpfers für ein gereinigtes Deutsch, des pangermanistischen Literaturhistorikers und Polemikers Eduard Engel gekannt, dem im hohen Alter (das war der Dank Deutschlands) vom Hitlerreich der Judenstern angeheftet wurde? Sein Fremdwörterbuch, 1918 unter dem Titel ›Entwelschung‹ erschienen, war in zahlreichen Auflagen verbreitet. Bei Heidegger setzt – laut Schöfers Erhebungen – in der zweiten Hälfte von ›Sein und Zeit‹, 1927, eine Tilgung der Fremdwörter ein, die schließlich zum System wurde und die durchaus dem puristischen Ideal des Banausen Eduard Engel und seiner Anhänger entspricht. Ein einziges Beispiel verdeutliche die Analogie der Stimmlage.[75]

Im Vorwort zu seinem Buch ›Gebt den Kindern deutsche Namen‹ schreibt 1928 der österreichische Priester und Volksschriftsteller Ottokar Kernstock, der Verfasser von ›Der redende Born‹: »Gerade in diesen unseligen Zeiten ist es eine Ehrenpflicht, Mutter Germania, die gramgebeugt in Trauerkleidern geht, mit treuerer Liebe zu trösten und uns eifriger zu ihr zu bekennen als in den Tagen des Glücks ... Es ist von einem volkstreuen Mann für volkstreue Volksgenossen geschrieben. Es gehört in jedes Schulhaus, in jede Pfarrbücherei, und wenn ein deutsches Mädchen Brautlauf hält, sei das Büchlein als schlichter, aber kostbarer Mahlschatz in den Hochzeitschrein gelegt.«

Heidegger in seiner Hebel-Rede ebenso muffig treudeutsch und ländlich verzückt: »Hebel wählte nach eigenem dichterischem Ermessen die schönsten Stücke, die er in den Kalender des Rheinischen Hausfreundes gegeben hatte, aus. So schränkte er den Schatz auf das Kostbarste ein, baute ihm ein Schränklein und schenkte es im Jahre 1811 der ganzen deutschen Sprachwelt als ›Schatzkästlein‹.«

75 Fremdwörter bei Heidegger: einige Angaben bei E. Schöfer, *Die Sprache Heideggers*, o. c., S. 24 und 272 sq. – Über E. Engel cf. Nr. 1 der Anm.

Vier Phasen lassen sich in seinem Verhältnis zur Sprache nachweisen. In der ersten schreibt der angehende Philosoph ein scholastisch trockenes Universitätsdeutsch. Der Durchbruch zu eigenem Ausdruck und damit zur zweiten Phase findet in jenen Partien von ›Sein und Zeit‹ statt, die bekenntnisartigen Charakter tragen und Chaos, Bedrohung, Angst und Anruf, Überschwang und Sorge einer ganzen Epoche durchs Medium des Schreibenden widerspiegeln in einer Art Schwarzwälder Version des deutschen Expressionismus. Das disparate Wortmaterial wurde durch den Rhythmus des inneren Erlebens zusammengehalten und besaß in seinen besten Momenten etwas von holzschnittartig gekerbter und gefurchter Kantigkeit, die selbst deutsche Gegner zu beeindrucken imstande war und erst recht gewisse französische Ästheten, die ephebenhaft den starken Mann umschwärmen. (Sartre ist aus anderem Holz geschnitzt. Die wichtigen Anregungen, die in seiner ersten Periode von Heidegger auf ihn ausgingen, hat er alsbald in eigene Philosophie transponiert.)

Sprachinstinkt und Stilgefühl garantierte Heideggers Verbundenheit mit der mundartlichen Muttersprache weniger als Sartres Verbundenheit mit dem großstädtischen Französisch. Ob bei Sartre politische Irrtümer vorliegen oder nicht – die Sprache hat er in ihrem Dienst nie prostituiert, wie Heidegger es in seiner dritten, nazistischen Stilphase getan hat. Daß Stilelemente davon bis in seine heutige, manieristische Spätphase nachwirken, dürfte aus unsern Belegen evident geworden sein.

In den letzten Jahren ist der Philosoph auch als Dichter hervorgetreten, hat sich in eigenen Versen versucht: »Wenn es von den Hängen des Hochtals, darüber langsam die Herden ziehen, glockt und glockt« ... Oder: »Wälder lagern, Bäche stürzen, Felsen dauern, Regen rinnt. Fluren warten, Brunnen quellen, Winde wehen, Segen sinnt.«[76]

76 Heidegger: *Aus der Erfahrung des Denkens*, 1954, S. 22 und 27. Cf. auch den Kommentar von Adorno: *Jargon der Eigentlichkeit*, o. c., zu diesen Stellen, S. 46.

Nirgends tritt der Gegensatz zu Nietzsches Sprachgenialität eklatanter hervor als in diesen pseudo-dichterischen Versuchen. Die tänzerische Prosa und die Gedichte Nietzsches sind ein Ferment der deutschen und europäischen Literatur geworden; Heidegger gerät in gefühlsdumpfe Heimatdichterbastelei – eine Friederike Kempner des Hochschwarzwalds.

In seiner Prosa umkreist er anderseits mit endlosen Litaneien das Problem Sprache, Denken, Dichten und Sein und will durch etymologisches Abschälen der Worthülsen zum Urwort mit der gleichen fixen Energie vordringen, die hintersinnige Waldbauern an das Austüfteln eines perpetuum mobile setzen. Die Sprache ist damit pure Verbalvirtuosität geworden, Eiertanz zwischen Wagner-Assonanzen in Engführung.

»Das Waltende des Wortes blitzt auf als die Bedingnis des Dinges zum Ding.« »Das dichtende Sagen bringt erst das Gesicht des Gevierts hervor im Scheinen.« »Die Dinge ruhen in der Rückkehr zur Weile der Weite ihres Sichgehörens.« »Das jäh erblickte Walten und Weilen des Wortes, sein Wesendes, möchte ins eigene Wort kommen.« »Die Schicklichkeit des Sagens vom Sein als dem Geschick der Wahrheit ist das erste Gesetz des Denkens, nicht die Regeln der Logik.« »Das verlautende Wort kehrt ins Lautlose zurück, dorthin, von woher es gewahrt wird: In das Geläut der Stille, das als die Sage die Gegenden des Weltgevierts in ihre Nähe be-wëgt.«[77]

Immer wieder treibt das ›Kuinzige‹ in Heidegger – der hintersinnige Mutwille – ihn zu Formulierungen mit Hilfe von Wortspielen, wie sie Abraham a Santa Clara als Barockprediger geläufig waren. »Wann der Prediger auf solche Weis wird Wahrheit reden, so bringen ihm solche Wörter Schwer-

77 ›Das Waltende des Wortes‹ in: *Unterwegs zur Sprache*, o. c., S. 237. – ›Die Dinge ruhen‹ in: *Gelassenheit*, o. c., S. 43. – ›Das jäh erblickte Walten‹ in: *Unterwegs zur Sprache*, S. 236. – ›Die Schicklichkeit des Sagens‹ in: *Humanismus*, S. 47. – ›Das verlautende Wort‹ in: *Unterwegs zur Sprache*, S. 216.

ter, so bringt ihm solches Sagen Klagen«: diesem Satz des Ahnherrn Ulrich Megerle entsprechen mit weniger Suada und betont denkerischer Absicht Sätze des jüngeren Meßkirchers, die zuletzt in die Nähe des Kalauers geraten: »Das dichtende Wesen des Denkens verwahrt das Walten der Wahrheit des Seins: daß Danken und Denken zueinander verwiesen und zugleich geschieden.« »Für das Kind im Menschen bleibt die Nacht die Näherin der Sterne. Sie fügt zusammen ohne Naht und Saum und Zwirn. – Sie ist die Näherin, weil sie nur mit der Nähe arbeitet. – Falls sie je arbeitet und nicht eher ruht, indem sie die Tiefen der Höhe erstaunt.«[78]

Etymologisierende Wortspielereien florieren in allen manieristischen Epochen – so auch am Ende des 19. Jahrhunderts bei den französischen Symbolisten niederer Grade, die um die Wette phantastische sprachliche Bezüge herstellten, wo doch »das Wesen der Sache mit der Etymologie selten etwas zu tun hat« (Dolf Sternberger).

Hans Arp hat in unserer Zeit die Wörter nach Klangfarben assoziiert, aber unbeschwert und ohne bleiernen Ernst und sie damit im Spiel freigesetzt. Verse wie die folgenden führen ungewollt Heideggers Etymologisieren ad absurdum:

>»Herr von So und So
>
>Zerstampft seinen Papageien
>
>Bis sich der Papa von der Mama scheidet
>
>Und die Geien als Saft frei werden.«[79]

Sind die Glanzlichter einmal aufgesetzt, so dämpft sich der Ton Heideggers wieder. Die bewußt kurz gehaltenen Sätze schreiten mit kräftigem Schritt voran, der in der Literaturinterpretation Schule gemacht hat, und weisen doch bei genauem Hinsehen eine innere Brüchigkeit auf: sie leiden chro-

---

78 ›Das dichtende Sagen‹ in: *Heimat und Sprache*, S. 124. ›Für das Kind im Menschen‹ in: *Gelassenheit*, S. 73.
79 Hinweise auf die Wortspielmanie der Symbolisten bei Ed. Duméril: *Le lied allemand et ses traductions poétiques en France*, Paris, 1933, S. 328. – H. Arp: *Der gestiefelte Stern*, 1924.

nisch an jener ›Steigerung ins Einfache‹, wie Heidegger es mit
verräterischem Ausdruck einmal nennt.[80]

Durch die Erfahrung gewitzigt, hatte er nach dem Krieg
einen Privat-Kahlschlag veranstaltet. Aber in der Tiefe wa-
bert Wagner weiter und bräunelt es von ewigem Volkstum.
In allen Ehren! Der Wurm bleibt doch im Holz.

Immer radikaler auf die vier Pfähle eines sklerotischen
Grundschemas eingeengt, befriedigt sich hier eine total ob-
jektlos gewordene Sprache mit sich selber. »Vom Sein in die
Wahrnis seiner Wahrheit geworfen, denkt das Denken das
Sein. Solches Denken hat kein Ergebnis. Es hat keine Wir-
kung. Es genügt seinem Wesen, indem es ist.«[81]

Wenn Heidegger dennoch als Denker auf die Welt gewirkt
hat und wirkt, so geschieht es gewissermaßen trotz seiner
Sprache. Wie sehr sie sich auch mit dem Heimatjargon eines
Hermann Burte, Anton Gabele, Wilhelm Schäfer, Kolbenheyer überschneidet, – der Mann, der dahintersteht, besitzt
ein anderes Format. Der Impuls, der ihn trägt, bedeutet
mehr als das Wort, mit dem er vorliebnimmt, und bestätigt
damit seine eigene Formel: »(Das) Zerbrechen des Wortes ist
der eigentliche Schritt zurück auf dem Wege des Denkens.«[82]

Heidegger ist ein rational geschulter Kopf, ein mit allen
Wassern des Thomismus, des Hegelianismus, des Nietzsche-
anismus gewaschener Dialektiker, ein Techniker der Philosophie, dessen affektiert rustikale Bilderwelt, in die Fachspra-
che rückübersetzt, an differenzierte Probleme heranzuführen
imstande ist und der auch als Poetologe manches zu sagen

80 ›Steigerung ins Einfache‹: *Hausfreund*, o. c., S. 16.
81 ›Wahrnis der Wahrheit‹ in: *Humanismus*, S. 29. – Cf. auch Karl Lö-
with (Verfasser von ›Heidegger, Denker in dürftiger Zeit‹, 1953) in der
Studie ›Hegel und die Sprache‹ (›Sinn und Form‹, I/II, 1965, S. 114):
»Heideggers ›Wege zur Sprache‹ ist eine totale und radikale Destruktion
aller bisherigen Ontologie und Philosophie der Sprache ... Das Phänomen der Sprache läßt sich aber nicht dadurch erhellen, daß man auf
rationale Analyse verzichtet und statt dessen mit einer Metapher sagt,
sie sei das ›Haus des Seins‹ und das in ihrer Sage ›waltende Ereignis‹.«

hat auf Grund eines angeborenen Scharfsinns und einer umfassenden Belesenheit, die weder die antiken Tragiker noch avantgardistische Literaten und Maler wie René Char und Georges Braque ignoriert.[83]

Wir haben keinen Augenblick daran gedacht, mit unsern Bemerkungen Heideggers Philosophie zu ›erledigen‹. Sie ist auf ihre Weise etwas so Reelles, faktisch Dastehendes, nicht aus der Welt zu Schaffendes wie das preisgekrönte Meßkircher Zuchtvieh. Generationen von Denkern sind durch diese Philosophie beeinflußt, über sich hinausgerissen oder aus den Angeln gehoben worden. Das stolze Schiff zieht weiter seine Bahn; ob es später als Gespensterschiff herumgeistern wird, wie Georg Lukács meint, ist heute nicht zu eruieren.[84] Unsere paar Seitenschüsse werden es nicht leck gemacht haben. Der Freibeuter verschwindet nach getaner Arbeit mit seinem Boot und steuert wieder den eigenen Gewässern, den literarischen, zu. Vom Literarischen her hat er versucht, die Schwächen des Werkes und die Beharrlichkeit dieser Schwächen aufzuzeigen und hat damit vielleicht an bisher wenig beachtete Konnexe gerührt. Zum Grenzübertritt ins Philosophische hat den Literaten der Philosoph selber provoziert mit Sätzen wie den folgenden über Hölderlin: »Es gilt, einen Versuch zu wagen, unser gewohntes Vorstellen in eine ungewohnte, weil einfache, denkende Erfahrung umzustimmen. Der Bereich aber, wo diese Umstimmung spielt, ist der eines Sagens aus einem Dichtertum, das wir am Leitfaden von historischen und ästhetischen Kategorien nie begreifen können.«[85]

Die Erinnerung an die Manifeste von 1933 schwingt in diesen diktatorischen Behauptungen immer noch nach, auch wenn sie

82 ›Das Zerbrechen des Wortes‹ in: *Unterwegs zur Sprache*, o. c., S. 216.
83 G. Wolfer-Rau: *René Char und Heidegger*, Literaturblatt der ›Neuen Zürcher Zeitung‹, 18. 4. 1965.
84 G. Lukács: *Die Zerstörung der Vernunft*, 1954.
85 Hölderlin-Jahrbuch, 1958/60, S. 18 (›Hölderlins Erde und Himmel‹).

dem dichterischen Phänomen gelten: »Nicht Lehrsätze und Ideen seien die Regeln Eures Seins, der Führer selbst und allein *ist* die heutige und deutsche Wirklichkeit und ihr Gesetz« – hatte er seinerzeit den Studenten zugerufen. Man setze statt des ominösen Namens Hitler den noblen Namen Hölderlin: das autoritäre Denkschema hat sich nicht gewandelt.

Die erniedrigte Literatur- und Kunstwissenschaft revoltiert, schlägt zurück und läßt weder sich noch Hölderlin oder Hebel auf Meßkirch umstimmen. Denn darauf läuft es ja schließlich hinaus. Heidegger hat in den letzten Jahren selber bezeugt, wie ortsgebunden sein Standpunkt ist, wenn er in der Festrede zum 700jährigen Bestehen der Heimatstadt ihr und ihresgleichen – »ländlichen Bezirken und kleinen Landstädten« – die Fähigkeit zuschreibt, vielleicht einmal »die Kraftquellen des Heimischen wieder zum Fließen zu bringen« und den Menschen des Industriezeitalters den ›Machenschaften‹ der Technik entrinnen zu lassen durch »Rückzug auf eine Besinnung, die der Bewahrung ihres Herkommens, ihrer alten Herkunft« gelten soll.[86]

Rückzug auf ethische Besinnung wäre das Dringlichere: Hebel jedenfalls setzte sie vor und über die Heimat und wirkte durch seine öffentliche Tätigkeit in diesem Sinn – im Sinn einer Aufklärung, über die er Johann Gottfried Seumes Definition geschrieben hätte: »Aufklärung ist richtige, volle, bestimmte Einsicht in unsere Natur, unsere Fähigkeiten und Verhältnisse, heller Begriff über unsere Rechte und Pflichten und ihren gegenseitigen Zusammenhang.«[87] Heidegger schreibt: »Weder moralische, noch kulturelle, noch politische Maßstäbe reichen in die Verantwortung hinab, in die das Denken seinem Wesen nach gestellt ist.«[88]

---

86 *Ansprache zum Heimatabend der 700 Jahresfeier der Stadt Meßkirch* 1961/62. Z. b. A. Schwan, *Polit. Philos. in Heideggers Denken*, o. c., S. 188.
87 J. G. Seume: *Apokryphen*, Hg. H. Schweppenhäuser, sammlung insel 18, S. 125. Das Zitat von Heidegger in: Nietzsche, I. Bd., S. 603.
88 Zitat bei A. Schwan, o. c., S. 171.

Der Philosoph und Polyhistor Heidegger markiert den Bauer, kehrt den Meßkircher heraus, pocht auf den schwäbischen Urkern seiner Herkunft. Im einzigen Gespräche, das ich vor Jahren mit ihm geführt habe, zuckte er entrüstet bei der Frage auf, ob er, der in Freiburg doziere und auf dem Todtnauberg hause, als Badener zu gelten habe: ein Stockschwabe sei er, war die Antwort, und ein Ausspruch über die zwei Menschenschläge illustrierte sie: »Wenn der Badener Wurst sagt, hat der Schwabe sie längst verschlungen.«[89]

Der Badener Hebel ist auf diese radikale Weise vom schwäbischen Philosophen verschlungen, verdaut und verheideggert worden, und dagegen sollte hier Einspruch erhoben werden. Denn Hebel gehört nicht zu Heidegger und nicht zum schwäbischen Heuberg: er gehört zum badischen Schwarzwald und zu jener Rheinebene, in der er den größten Teil seines Lebens zugebracht hat. Er gehört als Humanist und Kosmopolit in den Umkreis eines Mannes, den er zeitlebens verehrt und den Heidegger zeitlebens bekämpft hat: Goethe. Er ist gewissermaßen ein Goethe in Duodezformat, hoher Staatsbeamter und Dichter, treuer Diener seines Herrn und heimlicher Frondeur, eminent kritischer Kopf und wortverliebter Artist, toleranter Christ und urbaner Schüler der Antike wie jener Begründer der modernen italienischen Kunstprosa, Manzoni, dessen ländlichen Roman ›Promessi sposi‹ Goethe 1825 mit der gleichen Begeisterung rühmte wie 1804 Hebels ›Alemannische Gedichte‹, weil er in beiden den gleichen jonischen Geist der Ausgewogenheit am Werke sah.[90]

89 Gespräch mit Heidegger auf dem Todtnauberg am 10. 8. 1950.
90 Cf. die schöne Studie von Walter Rehm: *Goethe und Hebel* (Universitäts-Rede, Freiburg i. Br., 1949, S. 20), worin auch die Bezüge festgehalten sind, die Goethe zwischen Hebel und Longinus (Daphnis und Chloe) sehen mochte.

Schiller, Frankreich und die Schwabenväter

Schillers Verhalten zu Frankreich – seiner Dichtung, Denkart, politischen Lebensform – kann mit *einem* Wort bezeichnet werden, das für ihn wie für ganz Württemberg gilt: Mittelstellung, pro und contra.

Er hat Racine kritisiert und ist immer wieder bewundernd auf ihn zurückgekommen. Noch im Winter 1803 debattiert er in Weimar erregt mit Madame de Staël über die französische Klassik – ablehnend, wo sie Enthusiastin war. Ergebnis: *sie* schreibt begeistert über den empfindungsstarken, aufrechten Schiller; *er* aber nimmt zu Hause wieder Racine vor, revidiert eine Übersetzung des ›Mithridates‹, beginnt die des ›Britannicus‹, entzündet sich an der Figur der Agrippina für eine eigene Tragödie, vollendet die Übersetzung der ›Phädra‹, ein letztes Meisterwerk, vier Monate vor seinem Tod.

Hinter Schiller steht wie hinter Racine die Welt der Väter und ihre Herrlichkeit. Ein paar biographische Fakten sollen es belegen. Der Umweg ist nur scheinbar. Wir kommen um so sicherer an die gemeinsame Wurzel heran.

Schiller hat zwei Väter besessen: seinen leiblichen Vater und den Herzog, unter dessen ›Söhne‹ er mit dem Eintritt in die Karlsschule aufgenommen war. Beide genialische Naturen und beide Despoten, Vertreter einer harten männlichen Welt. Die Jugend bäumte sich auf und bewunderte. Protest und Faszination abwechselnd.

Werbeoffizier – das war nicht eben der humanste Beruf, und Härte forderte es auch, als Gartenverwalter die Bauern zum Frondienst zu pressen, wie es Johann Kaspar Schiller oblag, der vom Bauernjungen zum Hauptmann und Hofbeamten aufgestiegen war. In der Familie regierte er unumschränkt nach dem Kernspruch: »Der Mann muß haben die Herrlichkeit im Haus.« Der ›Herrlichkeit des Herrn‹, einem altschwäbischen und Schillerschen Grundwort, werden wir noch weiterhin begegnen.

Gemeinsam ist Vater und Sohn die Verbindung von Arbeitsbesessenheit und Hang zur Spekulation, ›Rechenhaftigkeit‹ und Phantasie‹ – ein schwäbisches Mixtum nach Theodor Heuss. Der alte Schiller hat auf dem harten Keuperboden der Solitude nicht nur Zehntausende von Obstbäumen gezüchtet, er hat auch über sie räsoniert. Der Sohn verhalf ihm noch von Weimar aus zur Drucklegung des Manuskriptes ›Die Baumzucht im Großen aus zwanzigjährigen Erfahrungen im Kleinen‹. Das Letzte, was er anvisierte, lag aber jenseits des Utilitarismus: Früchte des Himmels, nicht der Erde. Eines der geistlichen Lieder, die er für den Hausgebrauch schrieb und mit den Kindern sang, wenn er sie nicht gerade mit Stockschlägen traktierte, enthält wie eine Samenkapsel die Dialektik von Schillers ganzem Schaffen: »Nein, es müssen Geist und Leben / Der Gewohnheit sich entziehn / Und in einem neuen Leben / Früchte der Bekehrung blühn.« Schon der Zwanzigjährige schreibt über die ›Räuber‹: als »Pflanzschule des Himmels« sind sie gedacht, nicht als Schule des Lasters.

Die geistigen, die geistlichen Antriebe werden sichtbar, die Schwabenväter treten hervor: Pastor Moser aus Lorch; hinter ihm Bengel, sein großer Lehrer; hinter Bengel der größere Johann Valentin Andreä, dessen Rosenkreuzerschriften bis auf die Elisabethaner, ja auf Descartes gewirkt haben und dessen ›Christianopolis‹ säkularisiert in Schillers Gedanken über Erziehung zur Freiheit weiterlebt. Hinter ihnen allen, überragend als ›rocher de bronze‹, Johannes Brenz, der Württemberg zum Bollwerk des Luthertums gemacht hat und dessen Katechismus noch den Schluß der Jugendwerke (›Räuber‹ und ›Kabale und Liebe‹) so eindeutig mitbestimmt, daß sie hierin den Franzosen schwer verständlich geblieben sind.

Brenz, das ist nicht nur Katechismus, Syngramma suevicum, Confessio wirtembergica. Das ist auch – und vielleicht vor allem – das genial übers ganze Land gestaffelte System der

Schulen, worin das Korn in die Seele gesenkt und ein Menschentyp geprägt wurde. Bibel und Antike hießen die zwei Säulen schon in den niederen Schulen, den Lateinschulen der Landstädte und -städtchen. Wenn Schiller im ›Spaziergang‹, wenn Hölderlin und noch Mörike so großartig selbstverständlich Schwaben mit Rom und Hellas verschwistern, ernten sie damit die Früchte einer langen, strengen Zucht, bauen sie auf den Fundamenten weiter, welche die Schar der Namenlosen gelegt hat.

Von hier aus ergibt sich der tiefere Zugang zu den Franzosen. Bibel und Antike bestimmen auch den Horizont von Corneille und Racine, von Montesquieu und Rousseau und noch von Diderot und Voltaire, dem Ex-Theologen und dem Jesuitenzögling. Lange vor dem europäischen Markt der Güter war hier ein gemeinsamer Markt des Geistes, Umlauf gleicher Bilder, Formeln und Begriffe bei noch so verschiedener Ausmünzung – ›topoi‹ hat Ernst Robert Curtius sie genannt. Nur das Beispiel von Racine sei herausgegriffen.

Hofintrigen und Liebeshändel sind bei ihm Vordergrund. Entscheidend die Welt der Väter, die dahinter aufragt, die strenge Welt der Jansenisten. Port-Royal, herb und tief wie das Tübinger Stift. Auch Racine wehrt sich gegen den Zwang. Sein ›Mithridates‹ steht im Scheitelpunkt. Übermächtig fällt von jetzt an der Schatten der Väter herein. Die Waffen sind in ihre Hände übergegangen. Auf sie führt alles zu. Sie fordern das Opfer. Sie erhalten es. Vom antiken Dekor ist Racine folgerichtig zum alttestamentlichen der letzten Werke gekommen, ›Esther‹ und ›Athalie‹.

Bei Corneille leuchtet die Väterwelt in milderem und zugleich vollerem Glanz: ungebrochen in ruhiger Kraft. Das Imperatorische, Willensstarke an ihm, der gebändigte Barock, die helmbuschüberwehte Grandezza hätten in Schiller verwandte Saiten anschlagen müssen. Aber Lessings Polemik hat ihm den Weg zum französischen Tragiker verstellt. Etwas anderes zog ihn heftiger zu Racine: die Unruhe, das geheime Wühlen der

Zerstörungstriebe unter der glitzernden Oberfläche. Kammermusik, die Abgründe erhellt; ganz wenig Personen, von äußerster Transparenz in den Konturen und zugleich hintergründig: ›Kunst der Fuge‹ und Beethovens letzte Quartette. Schiller hat weder Bach noch Beethoven gekannt. Aber er hat Racine gekannt.

In den Sälen von Ludwigsburg und von Stuttgart ist ihm das klassische Theater Frankreichs früh vertraut geworden. Das war die andere Chance seines Lebens: aus dem religiös bestimmten, kunstfremden Kleinbürgertum in die Welt des Spieles einzutreten, die zugleich die Welt der irdischen Macht war.

Die Dichter von Versailles hatten Zutritt zu Ludwig XIV., manche – wie Racine – vertrauten Umgang mit ihm. Wieviel deutsche Dichter aber sind so in die Nähe eines Herrschers gekommen wie Schiller schon als Fünfzehnjähriger zu Karl Eugen? ›Söhne des Herzogs‹, das war nicht nur ein Floskel, hochtrabend und nichtssagend. Der energiegeladene Mann im verwinkelten Fürstentum hatte Zeit, Herrscherwillen und pädagogische Leidenschaft genug, um *seine* Schüler in *seiner* Pflanzschule zu überwachen, höchstpersönlich zu stacheln, zu drangsalieren, aufzumuntern. Man kennt den Empfang, den er Schiller bereitete, als er von der Eskapade nach Mannheim zurückgekommen war. Väterlich wohlwollend, als wüßte er um nichts, führt er ihn durch die Hohenheimer Anlagen, erläutert ihm dies, läßt ihn jenes bewundern, und als der Ahnungslose ins Garn gegangen, deckt er brüsk die Karten auf: »Er ist auch in Mannheim gewesen, ich weiß alles; ich sage, sein Obrister weiß auch darum.«

Erstes Resultat: der Arrest und die Flucht. Zweites, wichtigeres Resultat: Posa vor Philipp. Schiller brauchte nur zuzugreifen. Die Wirklichkeit hatte ihm die Szene vorgespielt. Im Kunstwerk fixierte und erhöhte sein dramatischer Genius sie für immer.

Der ›Geisterseher‹ wäre nicht der tiefe politische Roman geworden ohne diese harten und fruchtbaren Jahre am Hof. An Schärfe der Beobachtung, an Einblick ins Räderwerk der Menschenbeherrschung kann sich das geistfunkelnde, in Deutschland so lang verkannte Meisterwerk mit den französischen Vorbildern messen: den ›Memoiren‹ des Kardinals de Retz, wo es im Dunkel der Intrigen von staatsmännischen Erkenntnissen blitzt; den ›Liaisons dangereuses‹ von Choderlos de Laclos, dem kalten, leidenschaftlichen Roman eines Strategen der Liebe. Schiller hat Laclos, hat Retz heiß bewundert, aus diesem den Stoff zum ›Fiesco‹ geholt, an jenem für den ›Geisterseher‹ gelernt. Auch die Prosa von Diderot, die er bis zuletzt begeistert las, hat in ihrer scharfen Beweglichkeit die seinige mitgeformt. Noch einer gehört in diesen Zusammenhang, obwohl Schiller ihn nicht mehr gekannt hat: Stendhal mit seiner souveränen Schilderung eines Duodez-Fürstenhofs in der ›Kartause von Parma‹. Stendhal, der Skeptiker, Musikenthusiast und Italienschwärmer, ist seiner Jugendliebe für Schiller nie untreu geworden, hat Schiller über Goethe gestellt. Er genoß an ihm, was die wenigsten sahen: die Mischung von Kälte und Feuer, das Aristokratische und das Jakobinische, Karl Moor und Franz Moor in einem.

›Sohn des Herzogs‹: es war doch nur eine Fiktion. Eingelassen in die Pracht der Säle und dann vor die Tür gewiesen als Bürgerkind, Zweitgeburt, Paria. Ein Text des Fünfzehnjährigen wirft Licht in diese Abgründe. Es ist eine Pflichtarbeit, im Auftrag Karl Eugens von den Karlsschülern verfaßt: ›Bericht an den Herzog über die Mitschüler und sich selbst‹. Schiller begnügt sich nicht mit allgemeinen Wendungen, Hinweisen auf generelle Fehler. Seine Angaben sind präzis und streichen die Freunde heraus, schwärzen die Feinde. Dieser hat »ein böses Herz«; jener »Anlagen zum Verräter«; ein dritter ist »durch kriechende Demut verächtlich«; zwei andere suchen alle, »auch die schändlichsten Mittel hervor, ... sich in die Gnade des Fürsten einzuschmeicheln, da ich gewiß versichert bin, daß sie nicht die nämlichen innerlichen guten Gedanken von demselben haben«. Das Dokument – eines der allerfrühesten, das wir von Schiller besitzen – ist weniger Bericht als Denunziation. Franz Moor könnte es unterzeichnet haben. Der Franz-Moor-Typ ist aus Schillers Werk nie verschwunden. Noch Demetrius hat seine Wucht und Glut.

Wir sind weit weg von der Idealbüste Danneckers. Schadows Kreidezeichnung hat ganz anders die ›Raubvogelschärfe‹ des Profils erfaßt und Jean Paul den berühmten Kommentar geliefert: ein Cherub mit dem Keim des Abfalls. Um so großartiger die Spannweite des moralischen Genius in Schiller, die immer neue Überbrückung der Klüfte und der fast unmenschlichen Spannungen.

Der Herzog hat – nach dem Vater – viel auf dem Gewissen von diesen Spannungen. Und doch hat der ›alte Herodes‹ auch mitgeholfen, sie zu überwinden als seltsame Mischfigur. Züge des absolutistischen Herrschers gehen bei ihm über in solche des moralisierenden Patriarchen, des Aufklärers. Die Karlsschule war nicht nur ›Sklavenplantage‹, wie Schubart höhnte, sie war auch Produkt einer echten Erziehungspassion, Ausdruck des Glaubens an die Perfektibilität der Menschen. »Erziehung« – schreibt Karl Eugen – »ist Weiterbearbeitung des in uns ruhenden Keims, eine zweite Geburt.« Durch die rationalistische Formulierung schimmert der religiöse Grund hindurch. Selbst Pietistisches tritt bei dem katholischen Herrscher in Erscheinung, als er im Schwabenalter – wenn auch im vorgerückten, mit fünfzig Jahren – öffentlich Buße tut und von allen Kanzeln des Landes sein Reuebekenntnis ablesen läßt. Eine Frau steckt dahinter: Franziska von Hohenheim, das ›Fränzel‹, von Schiller in den Festreden überschwenglich als Mutter gepriesen. Aber ›cherchez la femme‹ genügt nicht in Schwaben. ›Cherchez le père‹ muß es heißen. Und schon steht er vor uns, Michael Hahn, der Bauernsohn, Sektengründer und spätere Seelenführer Franziskas; kein Abtrünniger der

Kirche, vorsichtig in Distanz zu ihr, mit dem unwiderlegbaren Lächeln des Eingeweihten, der neben ihre Milch sein eigenes System stellt »als die kräftigere Speise«.

Wäre Schiller auf den Asperg gekommen, vor dem er floh? Man kann um so weniger daran zweifeln, als selbst nach dem fürstlichen Reuebekenntnis Schubart, der illustre Staatsgefangene, noch Jahre auf die Freilassung warten mußte. Andererseits darf das Verhältnis Karl Eugens zum jungen Schiller nicht im düstern Licht von Laubes ›Karlsschülern‹ gesehen werden. Ernst Müller und andere schwäbische Forscher, denen auch wir in Frankreich dankbar verpflichtet sind, haben seither vieles berichtigt. Den Herzog scheint etwas an den Jüngling gebunden zu haben. »Laßt den gewähren«, fordert er einmal und begründet: »Er kann gewiß ein recht großes Subjektum werden, wenn er fortfährt, fleißig zu sein.« Der Ausspruch erinnert an das Zeugnis, das Bonaparte aus der Militärschule in Brienne mitnahm: »Ira loin, si les circonstances le favorisent.« Ein anderer Ausspruch, ein Ratschlag des herzoglichen Pädagogen, mag Schiller noch stärker durch den Kopf gegangen sein, als er nach dessen Tod in der Ludwigsburger Schloßkapelle über die Vergangenheit nachsann, pro und contra abwog und sich fürs pro entschied.

»Das Feuer dämpfen«, hatte der Herzog geraten. In Weimar bekam Schiller nichts anderes zu hören. Ein Lehrer Schillers, der junge J. F. Abel, hatte den Weg noch genauer vorgezeichnet in der Festrede, die er 1776 vor den Karlsschülern hielt. Die Definition des Genies, in der sie auslief, vereint explosiv Kernbegriffe der Schwabenväter: Genie ist Kraft, gestählt durch Anstrengung und geleitet durch Besonnenheit. Der Herzog war begeistert. Leistung im Bunde mit Maß verlangt auch ein Urenkel Abels: Gerhard Storz, der Schillerinterpret, und spätere schwäbische Kultusminister.

Karl Eugens Verhältnis zu Frankreich vervollständigt das Bild. Paris hat den Herzog immer wieder angezogen. Im Sturm und Drang seiner ballettumrankten Jugend lieferte es ihm seine berühmtesten Künstler und Tänzerinnen, machte Stuttgart zehn Jahre lang zu einer Metropole erlesenster und fortschrittlichster Tanzkunst. Noverre, der geniale Pariser, wird von der heutigen Forschung als ein Shakespeare des Tanzes und der Pantomime gefeiert.

Das war vor Schillers Zeit und vor dem Eintritt des Herzogs in eine Klassik eigener Prägung. Die Schloßbauten, die er hinterlassen – Stuttgart, Monrepos, Solitude –, zeugen von ihr. Der böhmisch-italienische Barock der Vorgänger ist dem Maß und strengeren Gesetz gewichen. La Guêpière war der Inspirator. Einheimische Baumeister, wie Reinhard Fischer in Hohenheim, haben den Stil dann auf derbere Weise entwickelt. Die Karlsschule war in den bau- und bildkünstlerischen Erneuerungsprozeß unmittelbar miteinbezogen. Bewußt wurden hier Söhne des Volkes als Nachfolger gezüchtet. Vermittler zwischen Schwaben und diesem klassischen Frankreich ist ein Schüler Soufflots, Guibal aus Lunéville, gewesen, ein hervorragender Pädagoge, der innerhalb weniger Jahrzehnte eine Fülle von Talenten geweckt und gelenkt hat, die Träger des gewaltig aufbrechenden Frühklassizismus in Altwürttemberg. Schulfreunde Schillers treten bald an die Spitze: Dannecker und Scheffauer als Plastiker; Hetsch als Maler; als Architekt der etwas jüngere Thouret.

Schiller selbst ist in seiner Auffassung von bildender Kunst für immer von hier aus bestimmt. Sie ist viel klassizistischer als die eines Diderot, der in seinen Essays über die Malerei genial vorausgespürt hat, was bei Baudelaire, dem andern großen Kunstkritiker unter den Schriftstellern Frankreichs, dann zur Entfaltung gediehen ist.

Es ist mehr als Zufall, daß Dannecker Schillers Begleiter auf dem Spaziergang von Stuttgart nach Hohenheim war, der im berühmten Gedicht unter die Sonne Homers gestellt wird. Wir treten in ein klassisches Gemälde, in die großen heroischen Landschaften eines Poussin und Claude Lorrain. Schiller bleibt hier Zeitgenosse Racines. In einem seltsamen Ausspruch behauptet er, die Zeichnung sei das Wesentliche an einem Gemälde, nicht die Farbe. In seinen eigenen Dramen tritt das klassische Gerüst immer sichtbarer zutage. Die ›Ökonomie‹ der Anlage rühmte schon der Zwanzigjährige an seinen ›Räubern‹. Wieder haben wir es mit einem schwäbischen Grundwort zu tun. Und wieder ergibt sich vom Begriff der ›Ökonomie‹ her ein Zugang zur Klassik Frankreichs.

Der ›Spaziergang‹ fällt ins Frühjahr 1794. Der Herzog war im Herbst gestorben und die Französische Revolution in voller Entwicklung. Schiller stand auf seiten des Herzogs gegen die Revolution, gegen die radikale Richtung, die sie eingeschlagen. Reformen in Frankreich hatte Karl Eugen schon auf seinen Pariser Reisen von 1776 und 1787 für unumgänglich gehalten. Kaum ist die Bastille gestürmt, eilt er bereits herbei, treibt sich mit einer Kokarde auf den Straßen herum, sieht sich den Bastillensturm nachträglich wenigstens in einem Theaterstück an. 1791 ist er wieder da. Diesmal wohnt er einer Sitzung des Parlaments bei – desselben, das Schiller ein Jahr später das Ehrenbürgerrecht verleihen wird. Karl Eugens Diagnose lautet düster. Im Herbst 1789 schon hatte er notiert: »Der König eine Schlafmütze; die Königin exzentrisch und mit Recht vom Volk verabscheut; die Minister total unfähig.« *Er* hätte den Landständen die gemäßigten Reformen, die sie forderten, rechtzeitig zugestanden wie einst in Schwaben. Und ein Finanzminister wie Necker, der Genfer Bankier und Vater der Madame de Staël, der einzige, der den Konkurs hätte abwenden können, wäre nicht der Hofkamarilla geopfert worden, die über dem Abgrund tanzte. Vergleicht man Ludwigs XVI. Apathie mit *seiner* Aufgewecktheit, darf man schließen: es wäre eine Chance für die französische Monarchie gewesen, wenn ein Karl Eugen auf dem Thron gesessen hätte.

Mit Bezug auf Schiller aber wird man sagen: Jakobiner konnte unter einem solchen Fürsten des Übergangs und der Reformen – oder zumindest der reformerischen Anwandlungen – nur werden, wer religiösen Radikalismus mit politischem verband, wie etwa der Expriester Eulogius Schneider. Die Bindung an die Vaterwelt war das Stärkere bei Schiller, und ihr Fundament letztlich religiös. Identifikation mit dem Vaterbild und Gewissensstrenge hielten den Keim des Jakobinertums nieder, der bis zum Schluß in ihm lag.

Wir sind bei einem Zentralpunkt unserer Analyse angelangt und wechseln nun zur Gegenseite hinüber. *Ein* Werk rückt jetzt in die Mitte: die ›Räuber‹. An ihm kann exemplarisch Frankreichs Haltung zum deutschen Dichter abgelesen werden. Die Betrachtung der übrigen Werke darf dann summarisch erfolgen und zum Schluß eine letzte Konfrontierung der Parteien vorgenommen werden.

Die ›Räuber‹ schlugen ein wie zehn Jahre zuvor ›Werther‹. Eine Übersetzung – von Bonneville und Friedel – lag bereits 1785 vor: kühn, federnd und ziemlich wortgetreu. Auch in der Provinz las die Jugend sich begeistert hinein – so Charles Nodier, der kommende Romantiker, auf dem väterlichen Dachboden in Besançon.

Der Siegeszug beginnt mit dem Betreten der Bretter am 10. März 1792 im Pariser ›Théâtre du Marais‹. Fünf Monate später bereits setzte das Parlament (die ›Assemblée législative‹) Schillers Namen auf die Liste der achtzehn Ausländer, die mit dem Ehrenbürgerrecht ausgezeichnet wurden. Pestalozzi, Kosziusko, Washington gehörten dazu, von den Deutschen Klopstock und Campe. Schillers Name war von dem elsässischen Abgeordneten Ruhl vorgeschlagen worden. Die Girondisten, von Reinhard über Schiller orientiert, unterstützten den Antrag.

Auch der Übersetzer kam aus dem Elsaß. Seinen Namen Schwindenhammer hatte er schwungvoll-martialisch französiert: Lamartelière. Sonor klang auch der neue Titel: ›Robert, chef de Brigands‹. Die Eingriffe in den Text waren zahlreich und gewaltsam. Der gefühlstriefende, brutale Liebesmord an

Amalia ist getilgt; aus Mordbrennern sind die Räuber regelrechte Mitglieder einer Art Heiligen Feme geworden; Karl Moor begeht zum Schluß Selbstmord aus Reue. Das Publikum stolperte über den Schluß. Selbstmord schien eine zu harte, fast sinnlose Strafe, eine unverständliche Abdankung in einer Zeit, wo eben die Fundamente des Staates neu gelegt wurden. Retouchen waren nötig. Ein dritter Mann tritt in Aktion: kein Geringerer als Beaumarchais, der Verfasser des ›Barbiers von Sevilla‹ und von ›Figaros Hochzeit‹, der nebenbei Kommanditär des ›Théâtre du Marais‹ war.

Die Lösung lag auf der Hand. Beaumarchais fingerte sie geschickt hinein. Karl Moor schlägt sich an die Brust und schreibt zugleich an den Kaiser, von dem er für seine Truppe und sich Generalpardon erfleht. Triumphierend schwenkt ein Bote am Schluß die Zusage. Die illegale Räuberbande ist in den Dienst der Legalität gestellt. Schillers Schwager Wolzogen, der das Stück in Paris sah, war empört über die Verballhornung. Die Kritik hat nach ihm in die gleiche Kerbe gehauen, deutsche Innerlichkeiten gegen französische Veräußerlichung ausgespielt. Das Wort Innerlichkeit läßt aufhorchen. Es hat schon zuviel Fragwürdiges gedeckt – auch hier. Die Kritik hat zunächst eines übersehen: Lamartelières Lösung ist bei Schiller selbst vorgezeichnet in der Geschichte eines anderen Räubers, des ›Verbrechers aus verlorener Ehre‹, von 1786. Auch hier geht der Rebell in sich und will »den Staat versöhnen, dessen Gesetze er beleidigt hat« – aber nicht wie Karl Moor durch seinen Tod, sondern durch ein würdigeres Leben. Er stellt sich als Soldat zuerst seinem Landesherrn, dann dem König von Preußen zur Verfügung. Erst als beide ihn zurückstoßen und die Häscher ihm auf der Spur sind, offenbart er sich seinem humanen Amtmann. Nicht zerknirscht, mit einer ›ruhigen Schwermut‹ erkennt er die Doppelschuld: die seinige und die der Gesellschaft, die ihn zu dem hat werden lassen, was er geworden ist. Individualpsychologie im Rahmen einer Sozialkritik.

Die Fäden zwischen Politik und Religion werden entwirrt. In den ›Räubern‹ liefen sie durcheinander. Luther und Rousseau sprachen abwechselnd. Die evangelische Parabel vom ›Verlorenen Sohn‹ – so hieß das Stück ursprünglich – wird gedanklich unterbaut, aber auch unterminiert durch Forderungen aus dem ›Contrat social‹, ob ihn nun Schiller schon damals unmittelbar gekannt hat (wie Roger Ayrault annimmt) oder nicht. Karl Moor verflucht die Gesellschaft und stiftet eine bessere, indem er regelrecht mit den Mitgliedern seiner Bande einen Vertrag schließt. In aller Form löst er den Vertrag am Ende auf. Die frühere Welt war in Despotie erstarrt, die seinige ist anarchisch ausgeartet. Auch der utopische Träumer hat das Gesetz beleidigt und muß es versöhnen. »Die mißhandelte Ordnung«, erklärt Karl Moor, »bedarf eines Opfers, das ihre unverletzte Majestät vor der ganzen Menschheit entfaltet – und dieses Opfer bin ich selbst.« Durch die säkularisierte Fassung klingt die sakrale des altwürttembergischen Protestantismus hindurch: die Welt als *Herrlichkeit Gottes*. »Der Mensch ist wesentlich Offenbarung seiner selbst, Manifestation«, schreibt Oetinger und formuliert weiter: »Herrlichkeit ist die körperliche oder geistige Manifestation dessen, was im Geist verborgen liegt.« Schiller meint nichts anderes, wenn er schon als Fünfzehnjähriger im ›Bericht über die Mitschüler und sich selbst‹ äußert: die Seelenkräfte seien uns »von Gott geschenkt, um seine Ehre auszubreiten«. Bei Schelling wird die Geschichte zur »fortgehenden, allmählich sich enthüllenden Offenbarung des Absoluten«. Der gleiche Gedanke enfaltet sich bei Hegel in voller Breite und wird zuletzt auf den religiösen Untergrund zurückgeführt, wenn es in den Vorlesungen über Religionsphilosophie heißt: »Es ist den Menschen in diesem Anschauen und Gefühle (von Gott als seinem wahren Leben) nur darum zu tun, allein die Ehre Gottes kundzutun und seine *Herrlichkeit zu offenbaren.*«
Hinter den Dichtern und Denkern der jungen Generation steht das lutherische Vaterunser mit dem machtvollen Aus-

klang nach Matthäus 6: »Denn dein ist das Reich und die Kraft und die Herrlichkeit.« Die ›Herrlichkeit‹ fehlt bei den Katholiken, die sich – wie später die Reformierten – an Lukas 11 anschließen. »Das hat keine Kraft und keine Macht und keine Herrlichkeit, wie's katholische Vaterunser« – lautet wegwerfend und aufschlußreich eine schwäbische Redensart.

Mächtig mündet Schillers Erstlingswerk in Bekenntnis, Buße, Selbstopfer. Wir stehen in der Tradition der Schwabenväter. Nicht der Herzog allein hatte sich öffentlich an die Brust geschlagen, sondern auch sein berühmtestes Opfer, Schubart, der Rebell auf dem Asperg. Seine Worte decken sich selten mit denen Karl Moors: Haft als heilsame Strafe, als Züchtigung, die den Verirrten mit Gott versöhnt. Schiller selbst war von seinem Vater dazu erzogen, freiwillig den Stock zu bringen, wenn er gefehlt hatte. Die Zahl der Schläge fiel dann geringer aus. Karl Moors Selbstbeschuldigungen dürfen in diesem Sinn als biologischer Reflex der Selbstverteidigung verstanden werden.

Den Pudel sogar, die tierische Kreatur, treibt es in einem Jugendgedicht Hegels zum Herrn zurück, dem er entwichen war, einer Hündin nach.

Hierher! Das Wort reißt ihn los vom Instinkt und nötigt ihn zum Herrn.

. . . . .

Zurück! Er hört nicht. Der Stock wartet deiner. Ich seh ihn nicht mehr.

An der Hecke schleicht er her, das böse Gewissen verzögert die Schritte.

Zu mir! Du kreisest weit um mich, schwänzelst, er muß –

Habt Ihr noch nie gesehen, was es heißt: Müssen? Hier seht Ihrs.

Er kann nicht anders.

Du schreist der Schläge: gehorche dem rufenden Worte des Herrn.

Das ist sie, die Welt der Väter und ihre Herrlichkeit, und des Stuttgarter Pudels Kern heißt: die gute alte Zucht.

Dostojewskij, ein glühender Schillerverehrer, hat die Zerknirschung Karl Moors ausgekostet und in seinen eigenen Werken ins Gigantische gesteigert. Jean Jaurès hat sie abgelehnt bei aller sonstigen Bewunderung für den deutschen Dramatiker. »Die Räuber sind viel eher ein desperater Schrei als ein revolutionärer Appell zum Handeln«, heißt es in seiner ›Geschichte der Französischen Revolution‹, in der die klassische Literatur Deutschlands aufmerksame Beachtung findet. »Wenn das Werk der Gerechtigkeit die Form des Banditenwesens annimmt, so beweist das, daß jeder normale Zugang zu einer politischen und sozialen Neuordnung versperrt ist.« Dostojewskij schrieb zu Unrecht 1875: »Die Franzosen haben Schiller geehrt, aber nicht gelesen und noch weniger verstanden. Rußland hat ihn verstanden.« Die Mittelstellung des Dichters tritt auch hier zutage. In Württemberg selbst formuliert Christian Schrempf, der radikale Kierkegaardianer, so: »Karl Moor schätzt die menschliche Ordnung zuerst zu niedrig, dann zu hoch ein. Das Stück endet mit einer halbwahren Demütigung vor Gott und einer wahren Huldigung an den Staat. Der einzelne *kann* gegen das Gesetz, falls es falsch angewendet ist, recht haben.«

Für Schiller war der Schluß der ›Räuber‹ nur ein Anfang. Am Ende steht Wilhelm Tell, der den Gewaltherrscher töten darf und muß. Tellsche Elemente weisen schon Lamartelières ›Brigands‹ auf: sie sind zu Widerständlern promoviert, zu ›Francs-Juges‹, die als Freirichter zusammentreten. Auch die Milderung der Roheiten, der betont männlichen Rüpelhaftigkeit Karls und seiner Kumpane, ist mehr als nur französische Eleganz: intuitive Vorwegnahme der künftigen Helden Schillers.

Trotz aller Abstriche und Zutaten behielt das Stück genug Explosivcharakter, um wie eine Fanfare in die Zeit des Umsturzes hineinzuschmettern. Die revolutionäre Umwelt entband die schlummernden revolutionären Kräfte und steigerte sie. Das Melodrama grub sich gewaltig in die erregten Seelen ein als Volkslied für Männer, wie später die Marseillaise. Breitbeinig, mit offenem Kragen und offenem Herzen, stand ein ganzer Kerl auf der Bühne. In sein grollendes Pathos klangen schrill die Sarkasmen Franz Moors, der sich am Ende unbekehrt erhängte. Diderot – einer der Lehrmeister Schillers mit seinen halb naturalistischen, halb rührseligen Dramen – war überspielt, überschrien. Karl Moor erschien als ein plebejischer Bruder des Plebejers Rousseau, dessen Selbstgeständnisse mit ihren rücksichtslosen Entblößungen die Zeit eben aufgeführt hatten. Wie ein Bruder auch der anderen Stürmer und Dränger, die man in Deutschland so wenig kennt und die Schiller so stark beeindruckt haben: Restif de la Bretonne, der aus der Provinz in die Hauptstadt verschlagene Bauernsohn, dessen formlos breite, saftstrotzende autobiographische Romane nichts von ihrer Suggestivkraft verloren haben, und Sébastien Mercier, der mit seinen apokalyptischen Träumereien und seinen Pariser Sittenbildern ebensosehr Epoche gemacht hat wie mit seinen brutalen Angriffen auf die klassische Bühne Frankreichs. 1787 schreibt Mercier begeistert aus Mannheim ans ›Journal de Paris‹ über eine Aufführung der ›Räuber‹.

Dieser stürmische Neubeginn in der französischen Literatur wurde einerseits unterbunden durch die Revolution, die die Energien in andere Richtungen abdrängte, andererseits durch Napoleon, der unter Verleugnung seiner eigenen ossianisch-romantischen Jugend von Staats wegen einen Neuklassizismus dekretierte, wie er fast immer zu Diktaturen gehört. Die wahre freiheitliche Klassik wurde verfolgt – so Schiller und so auch Madame de Staël, seine Prophetin.

Schon am Schicksal der ›Räuber‹ läßt sich diese Entwicklung aufzeigen. Zugleich wird der zwiegesichtige Charakter des Werkes bestätigt. Die Royalisten haben es mitverantwortlich gemacht für die Aburteilung des Königs durch Volksvertreter. Der Vorwurf ist nicht ganz von der Hand zu weisen. Die wahren Jakobiner witterten das andere, Verdächtige heraus. Robespierre verbot das Stück zur selben Zeit, als er die Girondisten aufs Schafott schickte. Erst 1796 taucht es mit Erfolg wieder auf. Diesmal greift der Polizeichef ein. Das beängstigende Anwachsen des Brigantentums in der Provinz veranlaßt ein Generalverbot aller Räuberstücke, die üppig ins Kraut geschossen waren. Unerwartet wird im Mai 1799 eine Ausnahme für Schillers ›Räuber‹ gemacht. Nicht weniger als sechs Pariser Theater spielen sie in der Zeit vor und nach dem 18. Brumaire bis zum Juli 1800. Die politische Absicht ist klar. Bonaparte, auf dem Weg, Napoleon zu werden, benützt das Stück als propagandistische Verurteilung der Selbsthilfeaktionen, als Symbol für das Auffangen der anarchistischen Energien in einem Kaiserreich. Ein Bataillon der Pariser Garnison wird abkommandiert, um bei den Räuberaktionen auf der Bühne sachgemäß mitzuwirken. Das Kaiserreich ist da: die ›Räuber‹ können gehen. Sie müssen es 1804.

Ihr Übersetzer Schwindenhammer-Lamartelière war inzwischen selbst zur Klassik eines kaiserlichen Finanzinspektors herangereift. Er wurde königlich unter den Bourbonen. Nur ganz zuletzt juckte es den alten Mann doch noch. 1830 legte er eine neue, zahme Umdichtung der ›Räuber‹ vor. Sie fiel durch. Ihre Zeit war um. Die des reiferen Schiller hatte längst begonnen.

Selbst das bürgerliche Trauerspiel ›Kabale und Liebe‹, das 1801 in Lamartelières Übersetzung mit einem Fiasko geendet hatte, genoß jetzt eine Popularität, von der schon die Zahlen künden: sechs Übersetzungen oder Umdichtungen allein im Jahre 1826. Die Zeit hatte für das Schauspiel gearbeitet. Luise Millerin mußte mißverstanden werden in einer Epoche, wo Frauen für die Freiheit auf Barrikaden oder aufs Schafott stiegen, wenn sie es nicht vorzogen, in Salons die politischen Fäden zu spinnen. Was sollte ihnen die Unschuld vom Lande, die dem adligen Liebhaber nicht in die Flucht folgt und ihm die Väterlehre des Katechismus entgegenhält: Ehe einer Bürgerstochter mit einem Adligen ist Verbrechen an Gott und an der gottgewollten Ordnung.

Nach 1815 ist die Zeit in Frankreich selber gespenstisch zurückgeschraubt auf einen bigotten Ständestaat. Ehen zwischen Adel und Kleinbürgertum sind wieder Ärgernis geworden. Luise Millerin gewinnt Leben und findet Verständnis. Und ganz aktuell tritt ihre Gegenspielerin an die Rampe: Lady Milford, die Schiller bewußt als herrisch freie Engländerin der altständisch gebundenen Stuttgarterin entgegenstellt – als emanzipierte Frau, die nach eigenem Ermessen über sich verfügt, dem Herzog aber die Juwelen hinwirft, als sie erfährt, daß er die Männer des Landes verschachert. Gewiß ist Luise die tiefere Natur. Gewiß auch zerbricht ihre Liebe nicht nur am Klassengegensatz, sondern viel allgemeiner an der lutherischen Erbsündenlehre, die hinter Schillers ganzem Schaffen steht. Aber die Lehre vom Weltverzicht wird bei ihm von Anfang an durchkreuzt vom Willen zur Auflehnung. ›Kabale und Liebe‹ läßt sich sowenig auf das Religiös-Metaphysische wie auf das Politisch-Soziale reduzieren: beides vermischt sich. Luise gibt dem Stück die innere Leuchtkraft, Lady Milford die dramatische Zündkraft. Und der Kammerdiener, der alte schwache Mann, der die Schandtaten seines Fürsten enthüllt, trat ins deutsche Theater wie der steinerne Gast: die Bühne erzitterte. Beaumarchais hat im ›Figaro‹ keine revolutionären Akzente gesetzt.

Der literarischen und politischen Reaktion in Frankreich erschien der Dichter als doppelt unsittlich: nach dem Räuber mit dem unverdorbenen Herzen hatte er die Kurtisane mit Edelgefühlen hingestellt.

Die Kurtisane hat unerwartet Karriere gemacht. Aus Lady Milford ist eine Kurtisane erwachsen, die noch heute – mit Verdis Musik in der ›Traviata‹ gekoppelt – die Gemüter berührt: die ›Kameliendame‹ von Alexandre Dumas Sohn, 1852. Eine Romanfassung war 1848 vorausgegangen. 1847 aber

hatte Alexandre Dumas Vater ›Kabale und Liebe‹ erneut aufs
Theater gebracht. Dem Sohn war das Stück vertraut, vielleicht
hat er sogar bei der Übersetzung mitgewirkt (wie Edmond
Eggli plausibel gemacht hat).

Der Bezug von Alexandre Dumas Sohn zu Schiller heißt: Sinn
für Theatereffekt und genial berechnete Massenwirkung. Der
Unterschied liegt nicht nur im künstlerischen Niveau, er liegt
mehr noch im geistigen Engagement. Mit Dumas, Augier,
Scribe, Sardou ergreift nach dem Zusammenbruch des romantischen Theaters und dem Scheitern der Revolution von 1848
das arrivierte Bürgertum Besitz von der Bühne. Wie der Adel
vor 1789 kann es sich den Luxus des Kritisierens, Frondierens
erlauben. Die Kritik bleibt an der Oberfläche. Beide messen
ihre Epoche an den ethischen Idealen des achtzehnten Jahrhunderts.

›Don Carlos‹ stammt aus demselben Geist. Merkwürdig, wie
das neue, gewandelte Werk einen neuen Übersetzertyp auf den
Plan ruft: den neunundzwanzigjährigen Lezay-Marnésia. Er
selber war von Geburt ein Marquis und aus Überzeugung
liberal. Schon sein Vater hatte als Vertreter des Adels auf den
Generalständen die Revolution als Morgenröte der Freiheit
begrüßt. Nach Studienjahren in Göttingen wird der Sohn den
Jakobinern verdächtig und bleibt es auch dem Directoire. In
der Schweiz kommt er dem Kreis der Madame de Staël nahe.
Sein langer Brief an Schiller vom 18. Mai 1799, der die Vollendung des französischen ›Don Carlos‹ meldet, erörtert eingehend, warum Bonaparte die einzige Hoffnung bedeute, aus
dem Chaos das große Erbe der Revolution zu retten, die
neuen Gesetzestafeln. 1802 in den Dienst des Ersten Konsuls
und späteren Kaisers getreten, versucht der Don-Carlos-
Übersetzer aufs gewissenhafteste, Macht und Recht auszu-
balancieren und zögert nicht, seine Karriere aufs Spiel zu
setzen, um Übergriffen der Armee im besetzten Österreich
Einhalt zu gebieten. Das Denkmal des Frühverstorbenen (er
kam 1814 bei einem Wagensturz ums Leben) steht noch heute

in Straßburg. Er gehört zu den großen humanen Zivilverwaltern, die das Elsaß im Lauf seiner wechselvollen Geschichte gekannt hat – aus der deutschen Zeit wäre Rudolf Schwander als Bürgermeister von Straßburg zu nennen.

Wir müssen uns kurz fassen. Formal bedeutet ›Don Carlos‹ Rückkehr zur ›haute tragédie‹. Die Grenzen, die das höfische Zeremoniell einem Corneille und Racine gezogen hatte, sind freilich gesprengt. Der Bürgerssohn aus dem achtzehnten Jahrhundert kann weit ausholen und breit fundieren. In der Macht und Tiefe der Anlage wird sein Stück bald als Offenbarung von den jungen französischen Romantikern bewundert. Ihm selbst aber ist im ›Don Carlos‹ der Vorstoß über Rousseau hinaus zum schärferen Staatsdenker Montesquieu gelungen, einem der größten, den Europa hervorgebracht hat. Gewiß verwertet die entscheidende Szene Posa vor Philipp zunächst einmal Elemente des eigenen Erlebens: Schiller vor Karl Eugen. Erleben genügt nicht, Geist ist das Tragende – bei Schiller noch mehr als bei anderen. Die Kraft der Idee strahlt durch die Einzelheiten hindurch und bindet sie. Die Idee des ›Carlos‹ ist weitgehend von Montesquieu bestimmt. Auf die einfachste Formel gebracht: Republiken sind für Montesquieu nur in kleinen Staaten möglich – in der Schweiz Wilhelm Tells, im Genua Fiescos (Montesquieu ragt schon in dieses republikanische Trauerspiel hinein). Monarchie ist die beste Regierungsform für mittlere Staaten. Für ganz große scheint der Zwang des Despotismus unerläßlich: Montesquieu ist sehr aktuell geblieben. Auch Schiller! Überwältigend wie am ersten Tage wirkt auf das Pariser Publikum von heute das allmähliche Überschattetwerden der Söhne durch die Welt der Väter. Hinter Posa der König; hinter dem König riesenhaft der Großinquisitor. Wiederum ist Dostojewskij vorweggenommen. Und doch bricht auch hier das andere durch, das Westliche, der Anruf: »Geben Sie Gedankenfreiheit!« Das ist es, was ›Don Carlos‹ und schon die ›Räuber‹ von den expressionistischen Vater-Sohn-Tragödien unterscheidet. Hier Aufschrei und Ekstase, Mord, Brunst und Generalzerknirschung. Dort die scharfe gedankliche Zielsetzung, der Kristall der Idee.

Mit ›Don Carlos‹ als politischem Bekenntnis tritt Schiller in eine lange schwäbische Reihe: zu Johann Jakob Moser, der um der Freiheit willen auf den Hohentwiel gekommen war; zu Schubart, der auf dem Asperg saß; zu Uhland, dem Sänger des guten alten Rechts, der sein Leben wagte, als er 1849 an der Spitze der Abgeordneten den Truppen entgegenging, die den Eintritt ins Parlament sperrten. Hundert Jahre später – im Herbst 1934 – ein anderer stummer und entschlossener Zug: Pfarrer aus ganz Württemberg, die sich um ihren bedrohten Landesbischof scharen und der Gewalt trotzen. Aufstand des Gewissens. Große Lehrmeister sind die Schwabenväter gewesen. Frondeure kann man sie auch nennen, immer auf der Hut vor Übergriffen der Kirche wie des Staates. Demokraten auf ihre Weise – unter Voranstellung der religiösen Impulse. Schillers Haltung zur Revolution ist damit schon umrissen.

Wir machen hier einen Einschnitt wie Schiller selbst, der seit 1788/89 als Dichter fast zehn Jahre lang verstummt und in die Quellkammern von Philosophie und Geschichte eintritt – nicht um sich vom gewaltigen Schauspiel draußen abzukehren, sondern um es besser zu bewältigen. Seine Aussprüche über die Revolution sind in der Mehrzahl ablehnend, als Ganzes aber so wenig eindeutig wie seine Urteile über Karl Eugen. Die gleiche Zwiespältigkeit zeigt sein Handeln. Im Dezember 1792 will er empört nach Paris eilen, um vor Gericht Partei für den König zu ergreifen. Es ist bei dieser ersten Wallung geblieben, der spontanen Deckung des bedrohten Vaterbildes. Die Ernennung zum Ehrenbürger weist er nicht zurück – auch Klopstock behielt selbst nach dem Terror sein Diplom. Als nach sechs Jahren dasjenige Schillers ankommt (eine falsche Adresse und die Kriegsereignisse hatten die Zustellung verzögert), schließt er es zum Befremden Goethes und des Weimarer Hofes in die Schublade mit den Worten: »Es kann vielleicht meinen Söhnen dienen.« Wunderbare schwäbische Rechenhaftigkeit und Voraussicht! Es *hat* gedient und noch in den eben verflossenen Tagen der Okkupation, als Frankreich in der einen Hand das Kulturpanier schwang und mit der anderen hart in das Leben vieler einzelner eingriff, Nachkommen des Dichters in Lindau von einer schon erfolgten Requirierung befreit.

Aber es geht hier nicht um Anekdotisches, und bei Schiller war anderes im Spiel als egoistische Berechnung: die Sache selbst, die Revolution, als ungeheuer verwickeltes, vielschichtiges Phänomen. Wolzogen berichtete aus Paris darüber auf seine Weise, negativ; Reinhard, der Zugang in die Kulissen hatte, schrieb an Schiller ganz anders, positiv.

Der Rhein zieht keinen Trennungsstrich zwischen Schiller und Frankreich nach dem Schema, das eine stramm patriotische Wissenschaft so lange verkündet hat: drüben Schreckensherrschaft, abgelöst von einer Militärdiktatur; hüben Rettung des bedrohten Menschenbildes in die Arche Noah von Klassik und Romantik, bis über dem neugestalteten inneren Reich die Kuppel des glanzvoll erstandenen äußeren Reichs sich wölbte. Schiller auf eine so enge Weise eindeutschen, hieße ihn vom Mutterboden *seines* Jahrhunderts, des europäischen achtzehnten Jahrhunderts, ablösen, ihn entwurzeln.

Die gemeinsame Wurzel verzweigte sich damals in zwei Richtungen: Frankreich führte den politisch-sozialen, Deutschland den philosophisch-dichterischen Sturm und Drang zum Abschluß.

Vor Georg Lukács und ohne doktrinäre Verhärtung hat die französische Germanistik, die Marx immer ernst genommen hat, diese Zusammenhänge schon um die Jahrhundertwende aufgezeigt. Sie konnte sich dabei nicht nur auf das Zeugnis so vieler deutscher Dichter vor 1848 stützen, sondern auch einen Mann der Praxis herbeiziehen, einen Schwaben obendrein, der dank den Bemühungen Otto Heuscheles und anderer Schwaben jetzt endlich im rechten Licht erscheint: K. F. Reinhard, der geborene Schorndorfer und naturalisierte Franzose, der zugleich Freund der Girondisten, engster Mitarbeiter von Talleyrand und Napoleon und vertrauter Korrespondent von Schiller, Humboldt und Goethe war. Daß er auch im Konsistorium der lutherischen Kirche in Frankreich saß, rundet das Bild des ehemaligen Stiftlers und späteren Grafen und Pair de France ab.

Hegel, der Schwabe in Berlin, stimmt mit Reinhard, dem Schwaben in Paris, überein, wenn er über die Französische Revolution urteilt: »Alle denkenden Wesen haben diese Epoche mitgefeiert, (wo) der Gedanke des Rechts sich mit einemmal Geltung verschaffte.« Der ›code civil‹ hat den Dritten Stand endgültig inthronisiert, und auf der Charta der Menschenrechte bauen bis heute alle Versuche, die Menschheit zu einen, weiter – selbst wenn diese Rechte im Ursprungsland periodisch immer wieder mit Füßen getreten werden, gerade auch heute wieder, und einer Minderheit die Mühe zufällt, »den Geist durch die Anstrengung der konkreten Geschichte hindurchzuarbeiten«. Zuflucht und Rat bieten bei dem mühseligen Geschäft die Denkmale des deutschen Geistes – von der ›Kritik der reinen Vernunft‹ bis zur ›Phänomenologie‹, von ›Faust‹ und ›Tell‹ bis zu Hölderlins Oden.

Schillers Schriften über Philosophie und Geschichte gehören in diesen Zusammenhang. Die ›Ästhetische Erziehung des Menschen‹ ist seine vielleicht umfassendste theoretische Antwort auf die Französische Revolution: gegen Frankreich gedacht und doch Frankreich verpflichtet, zum Teil in Frankreich vor Deutschland verwirklicht.

Der Grundgedanke: innere Wandlung statt des äußeren Umsturzes, ist schon die Moral der ›Räuber‹ und alte schwäbische Haltung. Ideen von Johann Valentin Andreä leben hier weiter, der im Dreißigjährigen Krieg als Ausweg aus Chaos und Barbarei nur eines sah: den Zusammenschluß erleuchteter einzelner. Ein Jahrhundert vorher hatte Johannes Brenz den aufständischen Bauern die Bibel entgegengehalten mit der Weisung: geht in euch.

Das Neue bei Schiller ist der Übergang von religiöser und moralischer Erziehung zu ästhetischer. Die Verbindung ist endlich hergestellt zwischen dem kunstfremden, gläubigen Bürgertum und dem kunstfrohen, religionsentfremdeten Hof. Wahre Kunst ist für Schiller die edelste Blüte von Sittlichkeit und Religion.

Der Weg führt nicht nur nach innen. Kunst wird zum Werkzeug, das Innere nach außen zu gestalten. »Leiblichkeit ist das letzte Ziel aller Wege Gottes«, hatte schon Oetinger gelehrt und vor ihm Brenz: »Der Hauptartikel unserer Religion lautet: Das Wort ward Fleisch.« Das Mysterium der Wandlung bei Schiller weist zurück auf das Wunder der Transsubstantiation. Emil Bock, der schwäbische Theosoph, betont es mit Recht.

Aber die religiösen Antriebe sind nur ein Aspekt dieses neuen Evangeliums. Es ist Stiftung des Wortes in einem anderen Reich, Erlösung der zweckbedingten Kunst in die freie Welt des Spiels. Erst auf dieser Zwischenebene zwischen irdischem und göttlichem Bereich kann die wahre Gemeinschaft der Freien entstehen. Lassen wir das Wort ›Gemeinschaft‹. Es verhängt wie mit einem Flor die einfachsten Dinge. Das Wort ›urban‹ klärt sie in unserem Fall. Schiller hat die urbane Funktion der Kunst erkannt. Die Urbanität der Kunst, die Einbürgerung des Künstlers in den sozialen Raum haben schon Dürer und nach ihm Heinse und Goethe in Italien schmerzlich-neidvoll bewundert. Die Dichter waren in Deutschland der Nation noch unseliger entfremdet: ausgeschlossen vom Hofe der Fürsten und Knechte der Theologen, jahrhundertelang. Das Wort ist hart. Hölderlin hat es gesprochen. Die Klage seiner Nachfahren haben wir gehört: nirgends ist häufiger von Gemeinschaft die Rede, und nirgends fühlt Dichtung sich unbehauster, nirgends ist Literatur suspekter.

Schiller selbst, einer der tiefsten Historiker, die sein Land hervorgebracht hat, bleibt als solcher ins Taschenbuch für Frauen verwiesen. Napoleon war seine ›Geschichte des Dreißigjährigen Krieges‹ schon um 1805 bekannt. Und Voltaire, das bewunderte Vorbild, hat als Verfasser des ›Karl von Schweden‹ und des ›Zeitalters Ludwigs XIV.‹ Schule gemacht, urban vermittelt zwischen Fachwissenschaft und Publikum, wie vor ihm ein Montesquieu und nach ihm eine Madame de Staël, ohne Heine zu vergessen, dessen kulturhistorische Schriften in ihrer visionären Kühnheit und Tiefe auch heute noch in Frankreich besser verstanden werden als in Deutschland. Daß Schiller darin einen Ehrenplatz erhält, ist auch für sein Weiterleben in Frankreich bedeutsam geworden. Es überrascht nur die, die Heine als Artisten und Wortgaukler hinstellen und nicht sehen, was ihn bei allen Unterschieden mit Schiller verbindet: das Virile, die kämpferische Entlarvung der falschen Mächte. Heine und Marx haben Schillers gesellschaftliche Antriebe tiefer erfaßt als die Germanisten der Hohenzollernzeit.

›Wallenstein‹ oder die Rückkehr zur Dichtung. – Die Wirklichkeit hatte Schiller in neuer Abwandlung den alten Stoff zugeworfen: das Thema des Usurpators. Napoleon erkannte sich im böhmischen Feldherrn. Das ›Théâtre français‹ mußte das Stück zurückweisen. Nicht zufällig ist der Übersetzer ein Freund der Madame de Staël gewesen: Benjamin Constant, ein liberaler Staatsdenker und Verfasser eines scharfsinnigen, schwermütigen Liebesromans ›Adolphe‹, einem Meisterwerk der Analyse.

Seine Wallenstein-Übertragung, 1809 in Genf erschienen, ist ein kurioses, mißglücktes Konzentrat in fünf Akten. Wichtig bleibt die Vorrede ›Réflexions sur le théâtre allemand‹. An ihr schieden sich die Geister: die vom Kaiser geförderte Neuklassik und die Opposition. Sie reichte von Madame de Staël und Chateaubriand, Constant und Senancour bis zur vordrängenden romantischen Generation. Für sie ist Schiller der Befreier von den Verkrustungen geworden, der ideale Mittelsmann zwischen Shakespeare und Frankreich.

Das Deutschlandbuch der Madame de Staël, 1810 auf persönlichen Befehl des Kaisers eingestampft, war nach 1815 in allen

Händen. Selbst wo Auszüge aus Schillerschen Dramen nur in homöopathischen Dosen vermittelt wurden, war die schöpferische Nachwirkung erstaunlich. Die paar Abschnitte über die ›Braut von Messina‹ haben eine Diskussion über den Gebrauch des Chors in Gang gebracht, die Racines Chordrama ›Athalie‹ in neuem Licht erscheinen ließ und ihre Wellen bis zur Dichtung des ›Parnass‹ schlug.

Anders klang die ›Jungfrau von Orleans‹ herein: mit der frischen Herzlichkeit der Pastoralsymphonie. Schillers Auffassung der französischen Heldin mußte freilich den Franzosen genauso befremden wie den Araber Voltaires Darstellung des ›Mahomet‹ in der fünfaktigen Tragödie, die Goethe übersetzt und Schiller verdammt hat. Gewiß, sein eigenes Schauspiel ist romantisch gelockert, legendenverbrämt. Und doch läuft durch die Zutaten und Ausweitungen klassisch-schnurgerade die moralisierende Exemplifizierung. Charles Péguy, der Verfasser einer aus dem Volk erhorchten, barock überhöhten und mystisch-katholischen Jeanne d'Arc, hat die vielgerühmte Schillersche Verinnerlichung des Stoffes als liberalistische Verflachung abgelehnt. Sowenig man Karl Moor die Jakobinermütze aufsetzen kann, sowenig darf man einer historischen Gestalt wie dieser eine empfindsame Liebe zu einem Engländer auf dem Schlachtfeld andichten, wofür sie Buße tut und kämpfend – ohne Scheiterhaufen – zum Himmel fährt.

Schillers Johanna wird vielleicht am verständlichsten als emanzipierte Luise, und diese Emanzipierung selbst als Widerschein der aktiv für Freiheit sich einsetzenden Frauen der Revolutionszeit – von Lucile Desmoulins und Madame Roland bis zu Charlotte Corday. Der Dichter gesteht Johanna zu, was er Luisen verwehrt hatte: die Schranken zwischen den Ständen zu überspringen. Aber auch um sie schließt sich alsbald wie ein Ring die harte Welt der Väter. Johanna wird vom eigenen Vater als Hexe denunziert und von Gott-Vater zu männlicher Härte verurteilt, zum gnadenlosen Niedermachen der Feinde. Die historische Jeanne d' Arc ist weder vom Vater angezeigt worden, noch hat sie in der Schlacht das Schwert geführt, nur das Banner vorangetragen. Beide Züge sind von Schiller frei erfunden – frei? Er gehorchte einem inneren Zwang. Auch in seiner ›Johanna‹ reifen die Früchte der Bekehrung auf stockschwäbisch-lutherischem Boden.

Die Engländer reagieren ähnlich befremdet auf die ›Maria Stuart‹ – allen voran Carlyle, der große Schillerverehrer, der seine ersten Eindrücke vom Dichter durch das Buch der Madame de Staël empfangen hatte. Den Franzosen ist das Stück eingängiger. Daß eine Messe darin zelebriert wird, verschaffte Schiller monarchisch-katholische Sympathien, wie schon seine ›Jungfrau von Orleans‹. Auch formal ist er der klassischen Tragödie nie nähergekommen als hier. Den Unterschied zwischen ihm und Shakespeare kann man vielleicht am treffendsten mit den Worten wiedergeben, mit denen Luther den Unterschied zwischen sich und Johannes Brenz gekennzeichnet hat: »Ich bin ein grober Waldrechter, wo *sein* Geist fein säuberlich wie das stille sanfte Säuseln dahinfährt.«
Auf sanfte, weiche, feminine Züge bei Schiller weist schon die Tatsache hin, daß in diesen beiden Werken des an sich so männlich betonten Dichters zwei Frauen im Vordergrund stehen – zwei Katholikinnen, was andererseits auf Karl Eugen von Württemberg, den liberalen katholischen Herzog, verweist, an dessen Hof und in dessen Karlsschule die beiden Konfessionen gleichberechtigt nebeneinander lebten.
Der genuin römische Katholizismus freilich offenbarte sich damals in Schwaben in einer anderen Form: in den grandiosen Barockkirchen, -plastiken, -fresken der katholischen Gegenden, besonders im Gebiet von Donau und Main. Bühnenweihfestspiele in Dorfkirchen, ästhetische Erziehung eines Bauernpublikums. Schiller selbst ignoriert dieses Barock. Die Jesuiten bleiben für ihn wie für Voltaire Finsterlinge. Und doch besteht ein geheimer Zusammenhang zwischen ihrer Auffassung der Kunst

als Führerin, ja Verführerin zum Guten und Göttlichen und der seinigen. Gewiß, bei Schiller ist die Kunst echt lutherisch aufs Wort gestellt. Der Vorwurf unziemlicher Vermengung von Kunst und Religion ist aber auch ihm nicht erspart geblieben. Jean Pauls ›Titan‹ hat hier tiefe Einblicke getan.

›Wilhelm Tell‹ oder die Welt der Väter. – Jetzt erst ist Schiller ganz in seinem Element. Der Durchstoß zur neuen Form ist gelungen. Kriegervereine an Sedantagen haben das Vaterländische im ›Tell‹ als Bestätigung ihrer selbst empfunden. Und als die Volksdeutschen später rudelweise ins Großreich heimgetrieben wurden, galt die Rütliszene als Urbild wesensechter Gemeinschaft im Gegensatz zur entwurzelten Gesellschaft westlicher Prägung. Kunstwerke lassen sich auf die Dauer nicht vergewaltigen. Goebbels mußte das Stück zuletzt absetzen, wie vor ihm die Habsburger. Es *ist* Appell gegen die mißratenen Väter. Geßler und Parricida kommen in dieselbe Hölle: der Tyrann und der Rebell waren vom gleichen Egoismus geleitet. Und um Tell stehen die Verschworenen im Sinn vom Lamartelièrs Freirichtern.

Das Stück ist nicht nur Vorklang der Befreiungskriege. Es ist zuerst schöpferisches Weiterwirken der Revolution, angefangen mit dem bewaffneten Aufstand des Volkes und dem Fall der Bastille Zwing-Uri. Im Scheitelpunkt die feierliche Vollziehung des Gesellschaftsvertrags mit den Formeln von Montesquieu und im gewaltigen Rahmen der freien Natur wie bei Rousseau.

So wie im ›Lied an die Freude‹ Schillers und Beethovens Stimme nicht mehr zu trennen sind, so fließen auch in dieser europäischen Symphonie die Ströme zusammen von der Weichsel bis zur Garonne, von der Rhône bis zur Themse und wieder zum Rhein: Einheitsfront der Aufklärung. Mächtig dahinter Luthertum und Schwabenerbe, die Kunde vom guten alten Recht und die Verheißung des besseren Reichs, des künftigen Gottesreichs.

Das Ganze souverän erhoben in die freie Welt des Spiels, wo

die Strophen und Formeln für Jahrhunderte dahingewürfelt sind, von weither kommen und weithin zielen und doch pralle Gegenwart sind, in sich vollendet.

Überblicken wir Schillers Wirkung seit anderthalb Jahrhunderten, so zeichnen sich drei Perioden ab. Triumph der ›Räuber‹ zu Beginn der Revolution mit wechselnden Schicksalen in ihrem weiteren Verlauf. Das übrige Werk bleibt bis 1815 im Hintergrund, wenngleich ›Wallenstein‹ ästhetische Diskussionen auslöst und der ›Geisterseher‹ sowohl wie die historischen Schriften Beachtung finden.

Die Glanzzeit Schillers beginnt nach dem Sturz Napoleons und des Empire-Klassizismus. Die französische Literatur blüht auf, die Quellen springen, und Schiller wird einer der großen Befruchter. Edmond Eggli hat nicht weniger als 1300 Seiten gebraucht, um den Wirkungen Schillers auf Frankreich nachzuspüren. Seine zweibändige Quellenstudie (Paris 1927) wurde auch von uns dankbar herangezogen. Kein großer Name fehlt darin, die kleineren sind Legion. Wir konnten hier nur ein paar Streiflichter aufsetzen. Allein über die Wirkung der Gedichte ließe sich eine Abhandlung schreiben. Die ›Glocke‹ hat von den Rebhügeln des Neckars bis zu denen der Saône herübergeklungen, wo Lamartine auf sie horchte und sie weiterschwingen ließ.

Die dritte Periode beginnt nach 1850 und dauert bis heute. Schillers Name steht weiterhin am Firmament, hat aber die aktive Strahlkraft verloren, wenngleich Kurt Wais auf Spuren seines Einflusses bei Sartre hat hinweisen können, denen Käte Hamburger dann nachgegangen ist. ›Don Carlos‹ und ›Maria Stuart‹ erscheinen zwar erfolgreich, aber nur episodisch auf der Bühne. Und warum gehören ›Wallenstein‹ und ›Wilhelm Tell‹ nicht zum Repertoire?

Zur gleichen Zeit aber, als Schiller Frankreich gewissermaßen abhanden gekommen ist, hat Frankreich seinen schillerähnlichsten Dichter hervorgebracht: Victor Hugo.

Es soll hier nicht von Hugo als Dramatiker die Rede sein. Trotz aller Einzelanleihen bei Schiller bleibt er ihm an dramatischer Geschlossenheit und Geisteskraft weit unterlegen. Auch die Lyrik lassen wir beiseite. Hugo war auf diesem Gebiet der große Schöpfer, der Vollender der romantischen Form und durch seine visionären letzten Versbände ein Mitbegründer der modernsten Dichtung. Selbst von seiner Prosa kann auf dem begrenzten Raum nur *ein* Werk herangezogen werden: der schon früher erwähnte grandiose Altersroman ›Les Misérables‹, ›Die Elenden‹, der in Frankreich wie in Rußland und in Amerika noch heute den Massen vertraut, in Deutschland so gut wie unbekannt und doch mit Deutschland, weil mit Schiller, verbunden ist.

Ein Vorläuferroman bei Hugo führt den Titel ›Claude Gueux‹. Wir kennen diesen Gueux, diesen Bettler und Vagabunden. Einer seiner Väter ist Schillers › Verbrecher aus verlorener Ehre‹ Schon die Kritik der Zeit verwies auf die Ähnlichkeiten.

In den ›Misérables‹ tritt neben den Räuber, Freischärler und im Grund unverdorbenen Menschen sein Gegenspieler, der Polizist. Nicht der brutale Scherge oder der Beamte in Uniform, sondern der Polizist aus Leidenschaft, der geheime Bruder, der im Dienst der Legalität auf denselben Schleichwegen wandelt wie der Verbrecher illegal. Schiller hatte sie konfrontiert, ineinanderverflochten im großartigen Dramenprojekt der letzten Jahre, dem sogenannten ›Polizeistück‹, das in verschiedenen Entwürfen vorliegt. Balzac, der den deutschen Dichter heiß bewunderte und das Projekt aus der sechsbändigen Schiller-Übersetzung von Prosper de Barante kannte, hat sich daran für sein Drama › Vautrin‹ entzündet. Auch hier geht es um die Aufdeckung eines Kinderraubes, der eine weitverzweigte Verbrecherbande mit einem ebenso raffiniert durchorganisierten Polizeisystem, an dessen Spitze der Polizeiminister von Paris steht, in Spiel und Gegenspiel bringt.

Die Aufführung von Balzacs Drama im Theater der ›Porte Saint-Martin‹ (14. März 1840) wurde zu einem Mißerfolg.

Unter veränderten Zügen ist Vautrin dann als eine der erregendsten Gestalten in die Romanserie der ›Comédie humaine‹ übergegangen. Die Polizeihandlung aber hat ihren genialen Gestalter in Victor Hugo gefunden. Gewiß, Schillers Anregung war nur eine unter vielen anderen. Das Wesentliche hat Hugo aus sich selbst geschöpft. Anlage und Umwelt stießen ihn auf die gleichen Probleme wie den deutschen Dramatiker: die Macht der Väter, die Auflehnung gegen ihren Zwang, die Bewunderung für ihre Herrlichkeit.

Noch ein dritter Name muß hier genannt werden, er drängte sich uns schon früher auf: Stendhal. Sein Roman ›Rot und Schwarz‹ entnimmt nicht weniger als sechs seiner Mottos aus Schillers Werken. Und was ist Julien Sorel, der arme, begabte, von Ehrgeiz und Leidenschaft zerfressene Held dieses tiefschürfenden psychologischen Romans, anderes als ein Bruder von Schillers Ausgestoßenen, die mit Gewalt zur Macht gelangen wollen?

Was Balzac, Hugo und Stendhal merkwürdig eint, ist ihr Durchbruch zum modernen gesellschaftskritischen Roman unter Abkehr vom romantischen Theater. An einen ›Don Carlos‹ hatten alle drei einmal gedacht. Alle drei haben aber dann nicht an den Schiller der Jambentragödien angeknüpft, sondern an den Schiller der Erzählungen, des ›Geistersehers‹ und des Polizeistücks, in denen als Keim der Zukunft eine neue, scharfe und tiefe Art des Realismus beschlossen lag. Mit ihm hat der deutsche Dichter Anregungen weitergegeben, die ihm selber aus Frankreich zugekommen waren. Verbrecherische Intrigen wie die des Polizeistücks bot ihm sein immer wieder gelesener ›Pitaval‹ in Hülle und Fülle. Die Atmosphäre aber fand er bei den Stürmern und Drängern Frankreichs: in den Großstadtromanen von Restif de la Bretonne und im ›Tableau de Paris‹ von Sébastien Mercier, pralle und düstere, bis an den Rand von Leben und Figuren erfüllte Bücher. Es ist rührend zu sehen, wie der todkranke Dichter in Weimar, der verwunschenen Kleinstadt mit ihren sechstausend Einwohnern, gewissermaßen das Ohr an den Boden legt, um durch all diese Werke hindurch das unterirdische Hämmern und Pochen der Riesenstadt zu hören, in der die Industriegesellschaft des neuen Jahrhunderts schon ihre ehernen Züge anzunehmen beginnt.

Schiller eilt seiner Zeit hier weit voraus. Er führt über Büchners Appell an das hessische Landvolk bis zur ersten an die Wurzeln greifenden Schilderung des Großstadtelends: ›Die Lage der arbeitenden Klassen in England‹ des jungen Friedrich Engels, 1845. Nichts zeigt besser die Zerrissenheit der Nation, als daß Engels inzwischen östlich der Elbe zum Kirchenvater aufgestiegen ist, westlich der Elbe aber mit dem Bannstrahl belegt bleibt. ›Zum innern Reich‹ hing lang nach 1945 in den Lesebüchern als Schild über einer Literatur, die unter Goebbels so paradox als Agrarliteratur aufmontiert worden war. Riesenstilleben in einer Zeit, wo die Maschinen immer dröhnender, der Rhythmus und die Gier immer schärfer wurden, wo Franz Moor in Schlüsselstellungen saß, die Schufterle allenthalben ins Kraut schossen und für den Sekretär Wurm ungeahnte Möglichkeiten sich auftaten, als aus den böhmischen Wäldern kein Räuber, sondern ein Raubtier ausbrach. Das Ganze mit Spießerzügen, Zitaten aus der ›Glocke‹ und Blumenpflege in Konzentrationslagern.

Die Verharmlosung und spätere Kastrierung Schillers beruht primär nicht auf einem Verfall des Geschmacks, sondern auf der Verkündigung des moralischen Gewissens und politischen Ethos.

Beispielhaft verkörpert Victor Hugo dieses Ethos in der zweiten Jahrhunderthälfte. Nicht umsonst sind seine ›Elenden‹ nach 1850 entstanden – in der harten Verbannung, die der Dichter sich auferlegt hatte, als aus den Trümmern des Volksaufstandes von 1848 die düstere Abenteuerfigur des kleineren Napoleon aufgestiegen war, der dann im Krieg zusammenbrach, in den er sein Land hineingezogen.

Fels des Widerstandes: das war keine Metapher. Die kleine

Insel Guernesey, wo Hugo zwanzig Jahre einsam verbrachte, war ein Fels, auf den die Republik gebaut hat – kein Hiddensee, wo ein Dichter, vegetativ mit den Kräften der Erde verflochten, dem All entgegenträumte. Welt der Männer, Herrlichkeit der Väter: das bringt Schiller und Hugo zusammen. Ästheten haben den ›Elenden‹ die Mischung von Kolportage und Rhetorik vorgeworfen. Die Kehrseite heißt hier wie bei Schiller: intensive dichterische Spannkraft, unerschöpfliche Fabulierkunst, großartiger Gedankenbau. Dem gewaltigen Gemälde des machtbesessenen oberen Paris und des unterirdischen Paris der Entrechteten haben die Historiker heute die gleiche Wahrheit zugestehen müssen wie dem ›Wallenstein‹: eine dichterische Wahrheit, die schärfer sieht und tiefer lotet als die der Fachgelehrten.

Der Funke zündet weiter. Schiller hatte Ludwig XVI., den er unschuldig glaubte, vor Gericht verteidigen wollen. Hundert Jahre später steht in Paris ein Schriftsteller vor Gericht, wirft – als Bürger und als Dichter – sein Wort in die Waagschale, und die Schale senkt sich: Zola rettet den unschuldigen jüdischen Hauptmann Dreyfus. Und als vor bald fünfzig Jahren die Völker Europas, im Wahn, der Pfingstgeist habe sie in heiliger Gemeinschaft gegen den Nachbarn zusammengeschweißt, zur gegenseitigen Abschlachtung antreten: da steht am ersten Tage ein Mann auf, von Krankheit gezeichnet wie Schiller und wie er vom Feuer der Vernunft durchglüht: Romain Rolland.

Seine Mitkämpfer können an den Fingern aufgezählt werden – von H. Mann bis Annette Kolb und Schickele. Hesse gehört dazu – im Innern unerschütterlich, nach außen verhaltener, der Religion stärker verhaftet – nochmals der alte Unterschied.

Gemeinsam ist Hesse und Rolland, wie auch Victor Hugo und Schiller, die Verwurzelung im Geist des achtzehnten Jahrhunderts. Albert Schweitzer, der aus dem gleichen großen Jahrhundert kommt, definiert diesen Geist als schöpferische Einheit von Enthusiasmus und Vernunft.

In einer vernunftbedürftigen Zeit wollen wir mit der Vernunft schließen. Der französische Ausdruck dafür lautet: bon sens. Der schwäbische Ausdruck heißt: Nüchternheit.

Schiller hat das Wort an Hölderlin weitergegeben: »Bleiben Sie der Sinnenwelt näher, so werden Sie weniger in Gefahr sein, die Nüchternheit über der Begeisterung zu verlieren.« Der Rat ging nicht verloren. Der deutsche Dichter, heißt es bei Hölderlin, sitzt am Bach unter Ulmen »und singt, wenn er des heilig-nüchternen Wassers genug getrunken«. Die sakrale Steigerung des Begriffs ist nicht ungefährlich, und doch ist sie zugleich legitimer Anschluß an die Schwabenväter – an Brenz, Oetinger, Bengel, für die alle Luther der Befreier war als der »unerschrockene, nüchterne Mann«, und Nüchternheit eine Kardinaltugend. Ein pietistischer Merkzettel Bengels zählt auf: »Gebet und Danksagung, Vertiefung, ernster Eifer, Mildtätigkeit, Sparsamkeit, Nüchternheit. Ein Aufatmen zu Gott in der Tätigkeit.«

Das ist es auch bei Schiller immer wieder: ein Aufatmen zu Gott in der Tätigkeit. Das ist sein Ernst und seine rührend kindliche Unschuld, die Herzlichkeit unter so viel Berechnung, das Lächeln der Versöhnung dessen, der – um wieder mit Bengel zu reden – »in kostbaren Augenblicken sich zur Vaterbrust durchschmiegt«. So auch hat Madame de Staël, die große Seelenkennerin, ihn für immer ins Gedächtnis der Franzosen eingegraben: in dieser unerhörten Kraft zur Reinheit – »l'innocence dans le génie, la candeur dans la force«.

Ein letztes Mal rufen wir sie auf, greifen zurück auf ihre erste Begegnung mit Schiller in der Weimarer Gesellschaft. Hager, bleich, erschöpft lehnte er an einer Säule. Er trug Hofuniform. Sie kannte ihn nicht, hielt ihn für einen General. Aus Geistesschlachten war er hervorgegangen, erschöpft und siegreich.

Das ist es, was uns an seinen Werken immer wieder den Atem verschlägt, die fragwürdigen Einzelheiten zusammenzwingt, in Syntax und Rhythmus beinahe körperlich spürbar wird: das Aufrauschen der Flügel.

Von Robert Minder erschienen im Insel Verlag

Dichter in der Gesellschaft.

Erfahrungen mit französischer und deutscher Literatur

»Das ist ein Blick in die Werkstatt des Literaturhistorikers Minder: in eine erfrischende Gelehrsamkeit, die aus tausend Assoziationen lebenswimmelnde Panoramen zusammenstellt.« *Süddeutsche Zeitung*
»An diesem Bande sind besonders zu rühmen die Leichtigkeit der Formulierungen, die Durchsichtigkeit der Konstruktionen und immer wieder die Details, in denen er die großen Zusammenhänge des Gesamtwerks erkennt. Es gibt nicht viele Germanisten, denen so Rühmenswertes nachzusagen wäre.« *Norddeutscher Rundfunk*
»Robert Minder ist ein homme de lettres umfassendster Bildung; Literaturgeschichte schreibt er als Kulturgeschichte.« *Frankfurter Rundschau*
»Robert Minders Buch ist nicht genug zu rühmen. Immer orientiert er sich am Konkreten, und immer markiert er seine Überzeugung, daß ein Europa des Geistes fortschrittlich und demokratisch sein müsse. Mehr noch, niemals vergißt Minder den Menschen, für den alle Literatur da ist.« *Radio Bremen*

Kultur und Literatur in Deutschland und Frankreich.

Fünf Essays

»Robert Minder ist ein Germanist, der sich seiner Weltkenntnis und seines Weltbürgertums, der Anwendbarkeit und Patentheit seiner Vernunft nicht schämt. Seine Absichten verbergen sich weder in Talarfalten noch hinter Augenaufschlägen, sie sind offenherzig und streitbar.« *Die Zeit*
»Streitbar, angreiferisch im guten Sinne wird Robert Minder, wenn er den grotesken Gegensatz schildert, der zwischen den modernen technisch-wissenschaftlichen und industriellen Tatsachen Deutschlands und seiner kleinkarierten deutschen Hauspoesie herrscht.« *Frankfurter Allgemeine*
»Das Spezifische aber von Minders Aufsätzen sind die weiten geistigen Horizonte, die sich verschieben, wandeln, in dauernd wechselnder Beleuchtung erscheinen. Und die Breite seiner Darstellung erzielt er, indem er sich nicht allein auf literarische Zusammenhänge beschränkt, sondern zugleich Musik, Malerei, Bildende Kunst, Philosophie, Theologie und Ökonomie einbezieht.« *Frankfurter Rundschau*

Alphabetisches Verzeichnis der edition suhrkamp